à Martine Dautin,
très cordialement,

Juliette Kahane

Revivre la bataille

JULIETTE KAHANE

Revivre la bataille

ÉDITIONS DE L'OLIVIER

ISBN 978.2.87929. 641.8

« Ô doux miracle de pouvoir regarder
ce que nos yeux ne voient pas. »

Jean-Luc Godard, *Histoires(s) du cinéma*

Sans vraiment le vouloir j'en étais arrivée là, m'éloignant chaque jour un peu plus *del mezzo del cammin,* quand j'ai rencontré Rose Cardenal. C'était à une soirée chez Anahita Worms, une vieille amie dont la générosité est restée, au fil du temps, aussi incorruptible que son goût de la fête.

Un regard m'avait suffi pour être attirée par Rose, dont je connaissais les photos mais que je n'avais jamais vue. Son visage bien charpenté affichait les marques – poches sous les yeux, teint brouillé, peau relâchée autour des maxillaires – d'un tempérament peu économe (et cette fragilité du provisoire, avais-je pensé ce soir-là, mais n'était-ce pas aussi parce que cela m'arrangeait, cette fragilité du provisoire, cette insouciance à dilapider les restes d'une beauté malmenée lui conféraient à mes yeux un charme supplémentaire). De toute sa personne, d'ailleurs, irradiait une énergie inquiète, quelque peu survoltée: haute silhouette nerveuse, grande bouche au sourire contagieux, nez droit, puissant, dont le profil avait sous certains angles un tracé subtilement bosselé, grandes mains aux ongles rongés, long cou musclé qui s'élançait du col très ouvert d'une veste en velours de soie bleu nuit.

Arriva ce moment de la nuit où tous ceux qui ne sont pas sagement allés se coucher s'agitent dans un même bain de fatigue alcoolisée qui excite l'esprit de comique – ou de tragique.

Dans le cas de Rose, c'étaient les deux. Quelqu'un mit *Hush, don't explain* et c'est comme ça, à cause d'Awa Djhone qui dès la première seconde lui avait évoqué Billie Holiday, qu'elle commença à me raconter la disparition de Vito Stern, croisant et décroisant ses longues jambes sur le bras du vieux fauteuil de cuir d'Anahita, balançant une sandale au bout de son pied nu, l'autre plantée dans le sol.

Je l'écoutais et je riais avec elle quand elle mimait la casquette de Didi-Lénine en barrant d'un trait de doigt son front, quand elle décrivait les oreilles barométriques de l'inspecteur Moskowitz ou sa rencontre avec l'inquiétante Viviane-Columbo. Rejetant la tête en arrière, elle riait sans retenue, d'un rire de plus en plus rauque à mesure que la nuit avançait et ponctué de reniflements sonores – l'homme en moi, affirmait-elle.

Lorsqu'elle parlait de Vito Stern, qu'elle appelait le plus souvent Stern, sa voix portait moins. Elle cessait de rire – sauf dans les passages les plus sombres de son récit et alors c'étaient plutôt des sourires d'excuse, d'atténuation – et son regard, si perçant sous les épais sourcils égyptiens qu'on se sentait photographié, peut-être aussi parce qu'on aurait bien aimé l'être, photographié par Rose Cardenal, son regard alors se rétractait. Faisant valser la masse lente et désordonnée de ses cheveux noirs striés de blanc, elle évoquait les romans fleur bleue de son adolescence, leur goût commun, avec Stern, pour les mélos flamboyants et le romantisme de la couleur – toutes choses qui éclairaient d'une lumière paradoxale ce qu'on pouvait imaginer d'elle à travers ses reportages photographiques.

Comme aussi ce que je croyais savoir de Vito Stern, dont les films sont connus dans le monde entier alors que personne, hormis son entourage proche, ne pourrait de bonne foi le décrire.

À la fin de la nuit, par-dessus la voix noire de Janis Joplin, *busted flat in Baton Rouge waiting for a train*, Rose m'apprit que toute cette histoire était déjà écrite. Ou du moins ce que j'en connais, minora-t-elle.

Et elle dit encore : Je devais le faire pour lui. Pour Stern.

Plissant les yeux derrière la fumée de sa cigarette, elle

me demanda mon avis à propos du titre – elle avait déjà éliminé *Dernier Travelling*, trop polar, *Les Voyeurs*, trop psychiatrique, *Passages de l'œil*, trop néo-nouveau roman, *La Prunelle de mes yeux* était peut-être un peu trop mélodramatique quand même – bref, elle s'interrogeait.

Et c'est ainsi que, quelques jours plus tard, je reçus par la poste le récit qui suit.

J. K.

Je me suis toujours appelée Rose Cardenal.

Et c'est sûrement la première des choses que je dois à Vito Stern.

Voilà ce que, tâtonnant dans le noir à la recherche de mon verre, je me disais cette nuit-là. Plus tard il ne resta de la bouteille qu'un cadavre sonnant creux et j'avais de toute façon trop bu, la nuit a tourné au cauchemar. Mais à ce moment-là j'étais encore dans la phase ascendante, maniaco-sentimentale, de l'ivresse et je m'attendrissais sur mon nom et sur mon nez, sur ce que Vito avait fait pour eux.

Je le connaissais depuis quelques semaines quand je lui ai demandé de ne plus m'appeler Rose mais Stefania (je venais de voir Stefania Sandrelli dans *Nous nous sommes tant aimés* à l'Alhambra, le seul cinéma de Troyes qui projetât des films en version originale). Rose Cardenal je trouvais ça tarte, ringard, tout juste possible pour une gardienne d'immeuble comme ma mère, avec trois dents de métal blanc dans la bouche et un mari portos, maçon et analphabète.

Je venais d'avoir dix-huit ans, mes dents étaient alors plus régulières et plus blanches que celles de la belle Italienne, et si je n'ai pas dit ça tel quel il n'y aurait rien de surprenant à ce que je l'aie pensé.

Nous étions assis devant l'Atlas, la table de montage qu'on avait installée dans le bureau de Matthieu le contremaître, et pendant ce temps-là Matthieu avec Chauvet, le chef de coupe, rôdaient comme des chacals autour de l'usine – attendant leur heure. Mat-Chauv, c'était comme ça qu'on les appelait entre nous, ces deux ventrus à l'haleine fétide. Vito me montrait comment faire un bout à bout avec la première bobine que j'avais tournée, un pano très topsy-turvy sur les filles en train de discuter autour de la machine à boutonnières. Assez radical, dans le genre image sale. Mais tout à fait par hasard le micro du Nagra avait capté un échange hors champ Didi / Costa – Didi notre star, notre stratège et cheffe de bande, réglant son compte à Salvador Costa le délégué – et cette performance involontaire avait fendu le profil de Stern d'un sourire de loup.

Didi lui faisait savoir au délégué, avec cette manière un

peu ampoulée qu'on avait toutes, malhabiles qu'on était pour décider à voix haute, elle lui faisait savoir d'aller jouer aux boules avec les autres mecs, on l'appellerait si vraiment ça devenait nécessaire. Tout en restant très courtoise, elle n'aurait jamais dit par exemple va donc te cuiter avec les autres gros lards, ou c'est pas avec des blaireaux dans ton style qu'on va se tirer d'affaire, ou me souffle pas dans l'nez tu pollues, non, même si elle n'en pensait pas moins. À Troyes en 1974 c'était impensable pour une femme qui se respecte.

Les femmes, c'était Didi qui nous haranguait, elle avait sa casquette à visière en skaï noir, les femmes on nous a frustrées, on nous a tenues dans le mensonge, le Costa comme le patron, et puis on a parlementé toutes ensemble, on s'est fait un arrangement du tonnerre, on s'est complotées et toutes on s'est trouvées toujours d'accord pour tout ce qui était dur, les yeux de Didi lançaient des éclairs sous la visière noire brillante, la première fois que j'ai vu une photo de Lénine en casquette j'ai pensé à elle, à ses sourcils peints, redessinés au crayon noir, avec beaucoup d'eye-liner en aile d'hirondelle sur la paupière supérieure et un ciré noir brillant aussi il me semble, et un col en fausse fourrure, les femmes, ce qu'on vient de passer entre nous on se demande si c'est du rêve ou de la réalité. Pour moi c'est même AU-DESSUS de la réalité! Didi nous donnait la chair de poule en répétant : les femmes, pour moi ce qu'on vient de passer c'est AU-DESSUS de la réalité ! Didi la plus honnête des bonnetières, à y repenser maintenant, était maquillée, sapée, chaussée comme une arpenteuse d'asphalte.

Donc, comme je demandais à Vito de m'appeler Stefania, il s'est tourné vers moi avec l'air trop patient qu'il réservait aux accablants, aux esprits épais :

– Stefania ? Et pourquoi tu ne te ferais pas aussi refaire le nez ?

C'était cruel mais réaliste, on n'a jamais vu une star de cinéma avec un blair comme le mien.

Ensuite il a énuméré quelques Roses qui auraient dû me rendre un peu fière de porter ce prénom.

– Rosa Luxemburg... Rrose Sélavy... Rosie Parks... Hmm... Rosemonde Gérard ? Toutes des héroïnes, chacune dans son genre. Je suis sûr que si elles s'étaient rencontrées elles auraient eu des tas de choses à se dire.

Vito ne put me dire à quoi ressemblaient les nez de ces différentes Roses. Par ailleurs, n'ayant évidemment jamais, à l'époque, entendu parler d'aucune d'entre elles, j'étais incapable d'apprécier en quoi il pouvait être distrayant de les imaginer discutant ensemble.

– Sans parler de la Panthère rose, bien entendu, avec qui tu as plus d'un point commun, avait conclu Stern.

Je n'ai jamais su pourquoi mes parents avaient choisi de

m'appeler Rose plutôt que Françoise ou Michèle – mais
j'ai fini par accepter le prénom qu'ils m'avaient donné.
J'ai même fini par m'accommoder du nez trop grand
dont j'étais aussi l'héritière, ou du moins par adopter son
allure conquérante (il s'est même trouvé quelques exaltés
pour le déclarer beau, au nombre desquels Vito Stern
lui-même, à une certaine époque). En tout cas, ce nez
comme ce nom, dès que j'eus cessé de les détester, sont
devenus mes marques de fabrique.

Bon, mais tout ça se déroulait il y a longtemps, il y a
bien trop longtemps pour avoir le moindre intérêt maintenant. Maintenant, dans le maintenant dont je parle
maintenant, c'est-à-dire neuf jours après la disparition de
Vito, je me réveille complètement vaseuse au pied d'un
mur recouvert de vidéogrammes, dans un endroit où j'ai,
hier, mis les pieds pour la première fois.
J'ai dû dormir quelques heures et je viens de faire un
cauchemar qui m'a réveillée et dans lequel, bien que
réveillée, je continue de m'enfoncer.
J'ai aussi une soif à lécher les murs, comme quand on a
soixante-quinze centilitres d'alcool et pas grand-chose
d'autre dans le corps. Il y a, sur le petit frigo qui trépide
à l'autre bout de la pièce, une boîte de thé chinois de
forme tubulaire, rouge drapeau, gravée d'idéogrammes

dorés et entourée d'une cordelette jaune vif, à côté d'une bouilloire bleu métallisé en forme d'ogive ou de suppositoire, d'un paquet entamé de biscottes ramollies et de quelques boîtes de conserve. Deux ou trois tasses de thé très fort pourraient noyer le moteur à deux temps qui pétarade dans mon crâne, mais il me faudrait d'abord récupérer l'usage de mon pied gauche. Or ce foutu pied est resté tordu sous moi pendant que je dormais. S'est métamorphosé en une repoussante prothèse cireuse, parfaitement inerte et insensible. En dormant, j'ai réussi à transformer un pied qui semblait jusque-là tout ce qu'il y a de plus vivant en pied artificiel.

Si je connais le détail des provisions entreposées dans le coin cuisine par Vito, c'est qu'hier soir, en arrivant, j'ai exploré l'endroit. Quand j'ai poussé la porte, une intense et toxique curiosité m'a fait tourner la tête. Pourtant je ne me prenais pas pour une flique – d'ailleurs les vrais étaient déjà passés par là.

Ils étaient entrés sans problème, m'avait dit l'inspecteur Moskowitz, avec un simple passe.

Mon premier tour des lieux avait été vite expédié.

Une pièce rectangulaire d'environ six mètres sur quatre, les deux petits côtés étant percés l'un d'une baie vitrée à moitié occultée par un store déroulant (que je baisserais complètement plus tard pour ne plus voir la muraille trouée de centaines de fenêtres, exacte réplique du bâtiment où je me trouvais et qui remplissait tout le champ visuel à l'exception d'une mince bande différemment grise, tout en haut, qui se révélait, quand on s'approchait assez de l'ouverture, appartenir au ciel d'Île-de-France), l'autre d'une porte donnant sur une salle de bains aveugle, jouxtant la demi-cloison du coin cuisine, dont Stern avait dû reconnaître la fonction de coin davantage que celle de cuisine, à en juger par le minimalisme de la batterie d'ustensiles : quelques couverts, trois assiettes, une petite casserole de fer-blanc, un ouvre-boîtes et un tire-bouchon. Contre le grand côté auquel je faisais face était appuyé un étroit matelas, au plus quatre-vingt-dix centimètres de large, posé à même le sol et garni d'un fouillis de draps froissés, couvertures, oreiller perdant ses plumes. Encastré dans l'autre mur, sur ma gauche, un placard-penderie muni de portes métalliques s'ouvrant en accordéon, laquées beige verdâtre, munies de poignées dorées en forme de champignon à tête concave. Et devant la baie vitrée une très longue planche très encombrée sur des tréteaux, une chaise – c'était tout le mobilier avec le matelas. Moquette usée, bleu-gris terne, parsemée de taches luisantes et de zones plus claires là où la trame apparaissait. Vito n'avait fait aucun effort d'aménagement : une ampoule nue pendait du plafond, des piles de livres, de journaux et de carnets se soutenaient ou s'affaissaient les unes contre les autres tout autour du lit, sur la table, un peu partout, quelques vêtements étaient jetés en vrac sur les étagères du placard ouvert.

Des choses silencieuses entre lesquelles circulait la mémoire de ses allées et venues du lit à la table, de ses mains pianotant sur un clavier d'ordinateur, réglant la caméra HD posée sur un trépied entre la table et la fenêtre. Un modèle récent – question technologie, Stern ne s'est jamais laissé distancer – et sûrement très coûteux – mais il n'a jamais mégoté sur le matériel –, téléobjectif braqué sur la sinistre barre qui obstruait la vue.

Le désordre, le laisser-aller qui régnaient dans la pièce me surprirent. Sans être un maniaque de l'ordre et comme souvent les gens qui voyagent beaucoup, entraînés à se contenter d'un minimum d'objets et de vêtements qu'il serait difficile ou impossible de remplacer, Stern était, du moins le croyais-je jusqu'ici, assez soigneux de ses affaires.

Or la seule chose un peu attirante dans cet endroit, et vers quoi on se dirigeait instinctivement, était le mur aux vidéogrammes : une petite foule serrée de portraits en noir et en couleurs, se bousculant, scotchés ou punaisés entre le placard et la fenêtre.

Auquel, bien sûr, on pouvait ajouter la bouteille d'Isle of Jura presque pleine, posée en évidence à côté de grands verres à fond épais sur le muret du coin cuisine. Je n'avais rien prémédité en venant ici, c'est l'Isle of Jura qui a décidé de ma nuit. Des tas de gens m'attendaient dans cette bouteille – George Orwell, Jean-Patrick Manchette, Vito Stern entre autres. Sans parler d'un whisky d'excellente compagnie.

Personne ne sait que je suis là, et moi-même je doute de ce que je suis venue y faire. Avant de m'asseoir au pied de ce mur, un verre dans une main l'Isle of Jura dans l'autre, j'ai longtemps regardé les vidéogrammes. C'est un des trucs de Stern, extraire des images de certains plans d'un film en cours et les afficher là où il travaille. Mais cette fois-ci il n'y a que des têtes. Des regards abîmés, torves ou tristes, quelques-uns plus ingénus, flottants ou joyeux, des regards fiers, distants, fatigués, deux ou trois sombres éclats de jeunes chefs de guerre. Des habitants de la cité – je reconnais les entrées d'escalier et les plaques de béton fendues de la dalle que j'ai traversée en arrivant.

Ces portraits en procession trébuchante me fascinent. Je ne peux m'empêcher d'imaginer que Stern, avant de disparaître, les aurait exposés là comme des signes, des pistes menant à ce qui lui est arrivé, à ce qu'il fait en ce moment s'il est encore en vie. Mais j'ai beau étudier minutieusement chaque portrait, les scruter l'un après l'autre de mon œil de voyeuse, frontalement ou de biais, je ne trouve rien.

Un seul visage me semble familier, celui d'une jeune fille auquel je reviens toujours sans parvenir à déterminer qui elle est ni si je l'ai déjà vue quelque part. Un visage en ovale allongé, joues pleines mais pommettes saillantes, bouche épaisse plutôt souriante, des yeux très noirs songeurs.

Voyeuse, c'est ma spécialité. Et à peu près la seule chose que je sache faire, en définitive.

Et là, pour aggraver mon cas, voyeuse dans un endroit où j'ai passé la nuit par effraction. Cet endroit, c'est un studio que Stern a loué il y a peut-être six mois dans une cité de lointaine banlieue nommée, avec un rare sens de l'humour quand on connaît l'endroit, le Fond des Forêts. Je n'ai pas eu besoin de fracturer la porte, mais je n'y suis entrée que parce qu'il n'y était pas.

C'est là que Stern a disparu.

Il y a neuf jours aujourd'hui un habitant d'ici, un insomniaque sorti promener son chien, l'a aperçu au milieu de la nuit cuvant une cuite dans une sorte de terrain vague, ivre et ronflant, puis au matin on a trouvé au même endroit des traces de lutte et une chaussure.

Une chaussure lui appartenant, un mocassin genre anglais, bonne facture mais éculé et surtout très sale. Irrémédiablement maculé de grosses taches de sang, qui ont eu le temps de pénétrer profondément dans le cuir avant de sécher.

Depuis plus rien.

Vito Stern s'est évanoui dans la nature.

C'est Guy, avec qui il avait rendez-vous ce jour-là, qui le lendemain est allé voir sur place, puis la police le surlendemain. Une jeune poulette pète-sec lui a dit de faire une demande de recherche pour disparition inquiétante de personne, ou quelque chose de ce genre. S'agissant de Stern, parler de disparition inquiétante parce qu'il n'avait pas refait surface depuis deux jours était un peu abusif. Mais Guy s'est obstiné. Prétendait que Vito voulait absolument le voir ce jour-là pour lui faire part d'une surprenante découverte. Pouvait pas en dire plus au téléphone. Il a rappelé deux fois pour confirmer, remixait Guy sans se lasser, je vous dis qu'il ne fait jamais ça d'habitude, etc.

Finalement les flics ont mené une petite enquête ici, au Fond des Forêts, trouvé ce type, ce Bentottal qui avait vu Stern dans la nuit, puis découvert la godasse maculée de sang. En tant qu'épouse officielle du disparu, j'ai été convoquée pour donner mon avis. Sur le coup je n'ai pas vu la nécessité de leur détailler l'état de nos relations, à Vito et moi. Et après ça m'a semblé trop compliqué.

Ils ne me demandaient pas de raconter ma vie d'ailleurs, et cela me convenait parfaitement.

Oui, ai-je dit à l'inspecteur Moskowitz, c'est sans aucun doute une de ses chaussures. Je n'ai pas fait attention à ce qu'il me répondait parce que mes oreilles se sont mises à siffler. J'étais obnubilée par les taches sombres sur le mocassin posé devant moi et par ce qu'il y avait d'effectivement inquiétant dans sa solitude sanglante, à cette chaussure.

Je regardais l'inspecteur qui me parlait, je n'arrivais pas à réfléchir, difficile avec ce sifflement qui m'envahissait par vagues comme une sirène d'alerte.

De toute manière à ce moment-là il n'avait pas grand-chose à me dire, Moskowitz. Ça se voyait tout de suite. Ses oreilles à lui ont des lobes étonnamment longs et livides qui m'ont fascinée pendant tout ce temps qu'il ne me disait pas grand-chose. Quant à ses yeux, ils furetaient un peu partout comme s'ils menaient une enquête clandestine dans le commissariat, fissures et taches sur les murs jaunes, relents de pâté-clope froide, grincements de chaise, bourdonnement de l'ordinateur poussif, président supervisant le tout depuis son cadre stratégiquement accroché au-dessus de la porte – et ne se posaient sur moi que furtivement, comme par mégarde. L'ensemble de sa personne était mou et fade, empaqueté dans un costume vert mousse et une chemise en vichy marron et blanc. Tout ce bavardage inutile, on interroge les voisins, l'aléatoire du porte-à-porte, toujours sur le même ton mélancolique. Pendant qu'il parlait et que je continuais de regarder ses oreilles, je sentais la rumination à l'œuvre entre ces deux appendices d'une surréelle transparence.

Puis il me tendit une minuscule carte, du genre qu'on commande pour trois euros à une machine dans le métro.

— Mon numéro, si quelque chose vous revient.

Une phrase de télépolar prononcée avec un sérieux un peu suspect, qu'il prolongea d'un négligent :

— D'ailleurs un voyage peut-être, qui sait, bien sûr il y a cette chaussure mais M. Stern est souvent en voyage, non ?

Son regard intermittent me télégraphiait des bribes de ses cogitations nous concernant, Stern, Guy et moi. J'ai pensé à Vito m'affirmant que l'étymologie du mot flic se trouve dans le yiddish *flique*, qui signifie « mouche ». Je m'en souvenais parce qu'il était rarissime que Vito fasse allusion à ses parents et que cette anecdote linguistique, disait-il, lui venait de son père. La mère de Stern s'appelle Milena. Professeur de français à l'université de Prague, issue d'une famille de la grande bourgeoisie tchèque et communiste ultra-orthodoxe restée inconditionnellement prosoviétique après la révolution de Velours. Stern ne l'a pas revue depuis qu'il a émigré en France au début des années 1970, fuyant les tanks et le serrage de vis du grand frère, ai-je toujours supposé car il est encore moins bavard sur cette période de sa vie que sur le reste. Son père, André Stern, un homme d'affaires français surnommé « le banquier rouge », est mort récemment à Paris, où il s'était réinstallé et remarié après avoir vécu une dizaine d'années à Prague avec Milena et le petit Viteslav, dit Vito. Père et fils se voyaient très rarement, se parlaient peu. C'est à peu près tout ce que je sais de l'enfance de Stern et de sa famille.

J'ai éteint la lumière pour ne pas voir le spleenétique lit défait, sa vieille peau de draps froissés. Puis je me suis assise au pied des vidéogrammes avec la bouteille de whisky. Un écossais single malt, au moins là-dessus Stern ne faisait pas semblant d'oublier ce que goût veut dire.

De toute façon j'aurais avalé n'importe quel tord-boyaux pour que ça tourne moins vite dans ma tête. Je me disais que si Stern était mort, avait été tué, je ne pourrais plus encaisser le moindre mouvement, je verrais trouble à la plus infime vibration comme un foutu sténopé. L'instant d'après je pensais qu'une vie comme la sienne ne pouvait aboutir qu'à ce genre de fin. Soudaine, écliptique, inexpliquée. Je pensais au misanthrope sarcastique qu'il était devenu, à cet épaississement récent de son corps qui donnait l'illusion que son ossature, plutôt lourde, s'était encore développée – puis il me paraissait que même la chute, le déclin de son charme et de sa beauté m'étaient chers. Je me repassais le film dans toutes ses versions, je réécoutais en boucle des moments importants de la bande-son. (Vito dix ans plus tôt, quelques mois après ma chute dans l'escalier de la cinémathèque, me serrant très fort l'épaule avec une odieuse désinvol-

26

ture: «Ce qu'il faut te dire c'est que maintenant tu es libre, tu peux vivre à ta guise, comme un mec.» Moi un an? deux ans? plus tard, une nuit que je marchais seule au hasard des rues: «J'espère que tu crèveras seul, haï de tous et désespéré.» Assez fort pour qu'une clocharde endormie sur une bouche d'aération se retourne en grognant sur son carton et marmonne dans son sommeil quelque chose d'inintelligible.)

Affalée au pied des vidéogrammes, je n'entendais pas grand-chose du monde extérieur, une vague rumeur d'asile, des plaintes d'aliénés ou ce qui semblait tel, des pleurs de bébé, un air tzigane joué et rejoué, toujours le même, par un maniaque, un enfant ou un simple d'esprit.

Je me disais: mais si quelqu'un avait des raisons de le haïr au point de vouloir le tuer, c'était moi. Si quelqu'un avait le droit de le haïr c'était moi, moi et personne d'autre. Et moi je ne l'ai jamais tué. Donc il n'est pas mort.

Je me resservais à boire et j'entendais, très loin, le choc de la bouteille que je reposais sur le plancher.

J'ai fini par m'endormir et j'ai fait ce cauchemar: on tire un tiroir de morgue, le visage de Stern apparaît, couleur chair morte, une plaie tranchant sa gorge dans toute sa largeur, noire et luisante sous une rampe de néon aveuglant. Ses pieds dépassent du drap, ils sont longs et maigres, leurs ongles fendillés longitudinalement et striés dans le sens de la largeur, jaunes et très longs comme s'il était devenu un clochard ou comme s'il était mort depuis longtemps et que ses ongles avaient continué de pousser comme c'est paraît-il le cas, s'allongeant à une vitesse non pas ralentie mais accélérée par la mort. Le cauchemar zoome sur le gros orteil droit auquel est attachée par un lien de plastique vert une étiquette couleur kraft indiquant les nom et prénom et peut-être d'autres détails, jour, heure, lieu de la découverte du cadavre, etc.

Si réaliste que même réveillée je reste dans la morgue devant la gorge tranchée de Vito, noir sur blême. Et je respire l'odeur fade de la mort bien que je n'aie jamais mis les pieds dans cette sorte d'endroit.

J'étouffe, mon cœur tourne vitesse V, vitesse kamikaze. Je réussis à me hisser sur un pied et, ma fausse prothèse à la traîne, clopinant comme une vieille mule je vais lever le store, ouvrir la fenêtre : le spectacle de la barre d'en face est pire le jour que la nuit, mais il fait beau.

Le printemps est là, impeccable.

Vito, je l'ai d'abord aimé à contre-jour. La première fois que je l'ai vu il marchait à reculons, neuf mètres en avant de la première ligne, la moitié droite du visage masquée par l'Aaton. C'était la plus légère des caméras 16 de l'époque, mais elle devait quand même peser pas loin de dix kilos. À sa façon de bouger on devinait qu'il n'était pas un journaliste comme les autres. J'avançais au milieu des autres filles, on avait le soleil dans l'œil. J'étais la plus jeune et la plus grande et j'avais l'impression qu'il me filmait moi, pas les autres.

Lui avait vingt-huit ans, dix de plus que moi, c'était un homme d'un genre inconnu à Troyes, un homme avec des cheveux longs attachés en queue-de-cheval, un regard oblique toujours ailleurs, des mouvements fluides de professionnel. Quelque chose avait détourné mon attention et l'instant d'après il n'était plus là. Déjà il avait cette aisance pour disparaître sans prévenir.

Le lendemain il est venu à l'usine, les filles qui faisaient le piquet à la grille l'ont laissé entrer parce qu'il était avec le type du ciné-club. Et parce qu'il les a mises dans sa poche en un clin d'œil. Ça s'était répandu à la vitesse d'un virus pernicieux, pour ne pas dire avec la virulence d'une poussée hormonale dans un organisme adolescent, ce Parisien qui avait un nom exotique et cette manière de sourire et d'écouter qui nous tombait toutes comme des mouches.

Ensuite on remarquait son accent qu'on situait sans trop savoir du côté des pays de l'Est, ce roulement presque imperceptible des *r* qui aggravait son pouvoir de séduction.

Il avait amené du matériel avec lui. L'Aaton – mais était-ce déjà une Aaton ou plutôt une Éclair ? ou une Arriflex ? – plus une petite super-8, une double-huit Paillard Bolex ou quelque chose d'approchant, et une table de montage, l'Atlas qui pesait si lourd qu'ils s'y étaient mis à trois pour lui faire traverser l'usine jusqu'au bureau du contremaître.

Mais il ne voulait pas nous filmer. Il voulait nous apprendre à filmer nous-mêmes ce qui se passait à Pantex, ce qu'on disait, ce qu'on se disait entre nous et les parlementations avec les autres, à la grille où chaque jour il fallait repousser de nouvelles vagues d'assaillants, émissaires de la mairie aux masques bonasses de braves pères de famille, on s'inquiète pour vous toutes seules là-dedans, y en a à qui ça pourrait donner des idées toutes ces femmes toutes seules la nuit, toutes les nuits, ou envoyés de la direction claquant les quatre portières de leur voiture de fonction, plus coincés, plus crispés dans le sourire mais ils avaient des consignes, allons faut être raisonnables, cinq pour cent c'est plus que vous ne pouviez espérer et on vous décomptera que la moitié des jours de grève, une mesure d'apaisement, un beau geste quand même reconnaissez-le, pensez à l'avenir de vos enfants à vos maris qui se rongent les sangs à vos parents, il est temps que les choses se remettent dans l'ordre, se remettent à tourner, il est temps qu'elles se remettent à tourner ces putains de machines, invariablement ça tournait vinaigre au bout d'un temps plus ou moins long, putain vous êtes vraiment devenues dingues, complètement irresponsables, et les masques finissaient par exploser de fureur, espèces de pauvres écervelées c'est pas seulement vous qui allez couler c'est Pantex tout entière à sa Troyes attachée, clamaient Guy et Stern quand on regardait les rushes sur l'Atlas, et alors là vous aurez gagné le gros lot putain de bordel de merde.

Nous filmer dormant sur les tables des ateliers, filmer la queue pour faire sa toilette au lavabo privé du directeur quand on avait découvert qu'une source d'eau chaude miraculeuse coulait de son robinet gauche, contrairement à tous les autres robinets gauches de tous les autres lavabos de l'usine. Filmer les heures à s'ennuyer, à se disputer pour des broutilles, pourquoi Monique passe une heure à se maquiller pendant que nous on fait le ménage, mais toujours Didi dénouait les crises, on avait tout le temps qu'on voulait pour faire le ménage *et* se maquiller, et aussi pour filmer les discussions quand on se demandait ce qui allait se passer ensuite parce que évidemment on le savait qu'on n'en avait plus pour longtemps et au moins si on filmait personne ne pourrait jamais raconter que ça n'avait pas existé.

À l'époque faire tourner une caméra ce n'était pas comme aujourd'hui où on peut filmer avec à peu près n'importe quoi, on était en 16 millimètres non synchrone, il fallait trouver de la pellicule qui coûtait une fortune ou en voler des chutes par-ci par-là, rajouter du son, envoyer à développer au labo, monter aux ciseaux. Stern a fait rentrer deux autres Parisiens venus avec lui, Guy et Albert le preneur de son, d'abord encerclés par le bourdonnement de nos sarcasmes à mi-voix et ricanements méfiants, confusément on sentait qu'il aurait fallu se demander ce que c'était leur compte dans cette histoire – ce qui nous a décidées c'est que Mat-Chauv les traitaient d'espions, de flics, et aussi qu'une fois qu'ils étaient là on n'avait plus envie qu'ils s'en aillent et Didi a fini par leur dire oui on veut bien essayer.

Probable qu'une partie de mon charme à moi venait de ce que j'étais une gamine de la classe ouvrière dotée d'une langue bien pendue. Mais je lui plaisais de toute manière. Un soir qu'on était assis tous autour du feu dans la cour de l'usine, à boire du vin et à blaguer, il s'est assis sur le banc à côté de moi. On s'est retrouvés collés l'un contre l'autre. Sa main s'est posée sur la mienne, dans mon dos. Je n'ai pas bougé. Sa main m'a serrée très fort, je l'ai serrée encore plus fort. Personne n'avait rien vu, ils ont été sciés quand on s'est levés ensemble. Et à cette époque j'étais vraiment maigre comme un clou. Une des blagues favorites de mon père, qui se considérait comme personnellement offensé par ma maigreur, c'était: «Ma fille la vieille (je suis l'aînée de leurs cinq enfants), elle a qu'une rayure à son pyjama. »

Le matin suivant, deux des plus jeunes ont démarré un numéro sur un banc de la cour, se moquant suffisamment fort des «filles qui couchent». Puis elles ont chanté «Avec un Kleenex je saurai mieux/comment te dire adieu» jusqu'à ce que Didi vienne leur dire qu'elles étaient des oies gavées de jalousie et qu'on ne pourrait même pas manger leur foie tant il était durci par le fiel.

Je n'ai pas pris la peine de le leur dire, mais ça m'était égal. Des filles qui se préoccupaient de savoir s'il fallait ou ne fallait pas «coucher» ne pouvaient plus m'atteindre. Durant la nuit j'avais appris le mot «baiser» en même temps que je le faisais pour la première fois. Vito disait «faire l'amour» ou «baiser», pas «coucher». Ça faisait toute la différence.

Quelques semaines plus tard je suis partie avec lui. Mes parents n'ont pas bronché. Ils avaient les quatre autres à élever et pas trop les moyens de protester, et de toute façon ça n'aurait rien changé. La veille de notre départ Vito nous a emmenés au restaurant et il a réussi à leur donner l'illusion qu'il serait une sorte de mari pour moi. Il ne voulait pas se moquer d'eux, juste qu'ils n'aient pas trop honte, pas trop peur. Il y avait des fleurs partout, sur la robe de ma mère, dans les mains de Vito puis dans le vase en verre rose sur la table, et dans les champs des

coquelicots et du colza quand on était partis le lendemain, l'odeur de route estivale s'engouffrait dans le break
Peugeot bourré à craquer de matériel et de gens.

Peut-être que mon père a dit à ses amis, ceux avec qui il
allait à la pêche le dimanche : « Ma fille la vieille, elle va
faire du cinéma à la capitale. »

C'est comme ça que j'ai débarqué à Paris avec mes
minijupes troyennes et mon manteau à boutons dorés,
dans le sillage d'un homme dont j'ignorais tout à part
qu'on continuait à se chercher, à se toucher, à s'emmêler
à la moindre occasion. Je trouvais qu'il ressemblait à
Barry Lyndon, c'est-à-dire à Ryan O'Neal jeune. En plus
beau, avec ses yeux gris étirés vers les tempes. Le film
venait de sortir, on l'avait vu ensemble dans un cinéma à
Montparnasse et j'y étais retournée trois fois toute seule,
sans le dire à personne.

Vito et moi on faisait comme si on ne vivait pas dans
des mondes différents et ça marchait peut-être, parce
qu'on ne s'intéressait qu'au présent. On dormait irrégu-
lièrement, quelques heures ou jusque tard dans la
journée, on se réveillait parfois sur une banquette de
métro, au terminus, ou dans la baignoire du studio de
Stern, parce que l'eau était devenue froide.

Chaque fois que je pouvais je le regardais dormir, mais
dans son sommeil il semblait si innocent que ça ne m'ap-
prenait pas grand-chose.

Ce tableau, Stern jeune endormi, me ramène à l'autre, celui de la morgue. Grande carcasse livide comme enduite de nacre jaune émergeant du drap blanc, paupières gris-mauve un peu bridées tendues sur les globes saillants de ses yeux. Et je ne peux pas vraiment voir ça. Stern sans regard ça n'a aucun d'intérêt, c'est un paquet de viande et d'os, avec une certaine surcharge pondérale maintenant, mais bon, congelée, la surcharge pondérale, et stockée dans un tiroir réfrigéré.

Peu crédible.

Donc sortir de là, aller faire un tour dehors.

L'inspecteur n'avait pas tiqué quand je lui ai redemandé le nom de la dernière personne à avoir vu Stern, cette nuit-là. Slimane Bentottal.

De sa façon d'appuyer sur le «t» on pouvait déduire qu'il y en avait deux. Bento*tt*al.

Je ne sais pas où il habite, Slimane Bentottal, mais j'ai un plan : chercher le gardien de la cité, et sinon faire toutes les boîtes aux lettres de toutes les cages d'escalier jusqu'à ce que je le trouve.

Je suis descendue sur la dalle qui s'étend entre les deux barres, celle où j'ai passé la nuit et sa jumelle, qui lui fait face. Cette sorte de parvis est le point culminant et le centre de la cité du Fond des Forêts. Un vaste damier rectangulaire de plaques de béton toutes plus ou moins fissurées et fendues, avec des coins qui se soulèvent par endroits, banquise débâclant sans bruit, au ralenti. Une esplanade glaciale fermée sur l'un de ses petits côtés, à ma gauche, par une tour plus haute. Je compte quatorze étages pour les barres, dix-sept pour la tour.

Il y a un sacré foutu vent sur cette dalle, un vent aigre de début avril qui fait voltiger des sacs en plastique frappés majoritairement aux armes du Kosto, le super-marché que j'ai aperçu en sortant du RER, et secoue les stores métalliques comme un cinglé. Au moins, comme on est en haut d'une butte, on voit le ciel et les nuages qui foncent à travers. Ça me fait penser au début de *The Waste Land* qu'on entend en voix off dans le film tourné par Stern en Corée – *April is the cruellest month*...

La veille, le Fond des Forêts m'était apparu comme un exploit architectural typique des années 1960. Une douzaine de barres et de tours étagées sur une pente pelée dans le paysage ad hoc, terreux et décoloré, ciel froid scarifié de lignes à haute tension, épandage de détritus et buissons rachitiques – ce que les spécialistes appellent une poche de relégation. Mais je ne me rappelais pas avoir entendu citer ce nom si absurde, le Fond des Forêts, lors de ce qu'on avait appelé l'embrasement des banlieues, l'hiver précédent. Je ne le connaissais que pour l'avoir entendu mentionner par Vito, un soir qu'on dînait tous les trois chez Guy il y a bien six mois de ça. Il nous avait fait une vague description de l'endroit, ajoutant que ce qui l'intéressait, c'était justement son exemplaire banalité. Quelques bagnoles avaient cramé là comme ailleurs, sans plus. C'était triste et moche, l'habitat était dégradé, le taux de chômage important, les transports inexistants – vu de l'extérieur rien que d'ultrabanal, d'inévitablement cafardeux. Le genre d'endroit où il n'y a rien à voir, disait Stern.

Et donc il envisageait de s'y installer pour une durée indéterminée, avait loué un studio dans cette cité que rien ne distinguait de dizaines d'autres cités de grande banlieue, neuvième étage, vue plongeante sur la dalle en haut de la colline et qu'est-ce que tu as en tête cette fois lui avait demandé Guy, qu'est-ce que tu comptes faire là-bas?

Avec la curiosité qu'on ne peut s'empêcher d'avoir pour les projets de Stern.

Même si là comme ça, cette histoire de cité, a priori on ne voyait pas trop. On se figurait bien que ça ne risquait pas d'être un documentaire sur les banlieues, il en faut, d'accord, il en faudrait peut-être même un tous les soirs à la télé si l'on n'avait quelques raisons de craindre l'effet inverse, une accoutumance accentuant la cécité – mais ce n'était pas son style, à Stern. Ça n'avait jamais été son style le documentaire politique, même à l'époque de Troyes, même alors le résultat avait été, en fin de compte, ce film illusoirement collectif qu'il avait au montage incrusté de portraits, de musique, d'allusions historiques et de passages comiques, en faisant une œuvre si personnelle qu'il s'était fait énergiquement insulter par une partie de la salle quand, plusieurs mois après la grève, on l'avait finalement projeté dans la salle du ciné-club.

Et bon quoi alors, accouche, c'est quoi ton idée?

On ne savait pas ce qu'il cherchait mais il y avait forcément une idée là-dessous. Sa réponse, de mauvaise grâce, était que précisément s'il en avait une, d'idée, c'était de n'en avoir pas.

On avait quand même un peu insisté, nous deux tes plus vieux amis, tu te fais pas un peu prier, là?

— Disons que je vais là-bas, j'emporte une caméra, oui, c'est tout ce que je sais.

Sa voix sèche, distante.

— Je fais mon trou et j'attends de voir. Justement dans un endroit où il n'y a rien à voir. J'attends que quelque chose apparaisse, devienne visible.

Il était parti vite, d'assez mauvaise humeur. Et c'est maintenant seulement, après toute cette histoire, que je sais qu'il disait exactement ce qu'il pensait.

Pas d'idée. Regarder jusqu'à ce que quelque chose finisse par être visible.

Ce matin la dalle est déserte à part quelques silhouettes pressées, creusées par le vent. À cette heure, le Fond des Forêts ressemble à une cité fantôme.

Chaque barre aligne sur cent cinquante mètres environ ses petites fenêtres toutes identiques, je compte, soixante-quatre par étage multiplié par quatorze ça fait huit cent quatre-vingt-seize, ça peut paraître exagéré mais j'ai toujours été bonne en calcul mental, huit cent quatre-vingt-seize fenêtres strictement identiques, non, on relève une variation dans les volets métalliques déroulants plus ou moins déroulés et plus ou moins rouillés. Et quelques jardinières désertées par tout espoir, si fragile soit-il, de renaissance végétale. La tour, sur ma gauche, est pourvue des mêmes ouvertures chiches affleurant au ras du même revêtement, un carrelage qui a dû être blanc quarante ans plus tôt et qui s'écaille par plaques aux contours finement crénelés. Un panneau signale la loge du gardien au rez-de-chaussée de l'escalier B, au pied de la tour, mais quand je sonne personne ne se manifeste. Rien ne bouge derrière les voilages tirés, pas le moindre jappement, miaulement ni caquet télévisuel. Rien non plus qui ressemblerait à une indication des horaires, même très relativement respectés, où il serait possible de consulter ledit gardien – qui n'existe peut-être plus, qui a peut-être renoncé à ce gagne-pain ingrat (« qu'esse tu veux faire » était la formule rituelle par quoi ma mère accueillait tout ennui ou corvée supplémentaire se pointant à l'horizon de sa propre loge) ou trouvé à l'exercer dans un environnement moins décourageant.

J'explore donc, fidèle à mon programme, les rangées de boîte aux lettres de chaque cage d'escalier jusqu'à découvrir le nom de Bentottal parmi celles de l'entrée A, la dernière que je visite et qui jouxte la B, celle du gardien, mais j'ai fait le tour dans le mauvais sens. Bentottal, appartement A309, troisième étage.

J'ai eu tellement de mal à m'expliquer que cela a facilité les choses.

J'avais sonné plusieurs fois, la dernière en insistant longuement, et je m'apprêtais à faire demi-tour quand j'entends de l'autre côté de la porte un pas traînant doublé d'une sorte de griffement. Elle s'ouvre – à moitié – sur un petit homme dans les jambes duquel vient s'encastrer un chien, rayé jaune et brun.

– Oui ? demande le petit homme, l'air aussi ahuri que si je le réveillais en pleine nuit.

– Monsieur Bentottal ?

Ses yeux larmoyants clignotent.

– Oui, répète-t-il avec le même sens de l'économie.

Le chien rayé s'agite entre ses jambes, pousse la porte d'une patte. Du coup je les vois mieux tous les deux, même si le palier est mal éclairé. Le chien est un cadavrexquis: museau carré de fox-terrier émergeant de cette fourrure à poils bicolores très longs et touffus, le tout posé sur des pattes torses à la teckel.

Slimane Bentottal lui-même est un petit homme de constitution frêle – je le dépasse d'une bonne tête – dont les côtes saillent bizarrement sous sa chemise bleue, comme si elles étaient trop larges pour le reste de son corps. Son long visage est lui aussi plein d'os, mâchoire en avant, front volumineux, surmonté haut par une couronne de cheveux gris bouclés qui semble posée sur le sommet de son crâne.

— Pardonnez-moi de vous déranger, dis-je, et j'ajoute très vite: J'étais, je suis la femme de l'homme qui a disparu. Que vous avez vu.

Si j'avais espéré susciter un mouvement d'intérêt ou même de banale curiosité, c'est raté. Il se contente de hocher la tête d'un air évasif, tout en attrapant les poils de la tête du chien pour le tirer en arrière. La fatigue me retombe dessus, mes jambes fléchissent.

— Je ne sais rien, dit le petit homme tandis que la porte se referme lentement.

Je m'accroche d'une main au bois écaillé du chambranle.

— C'est mon mari, je le cherche.

En même temps que j'entrevois ce que cette déclaration doit avoir d'incongru et de gênant pour cet homme,

ce qu'elle a d'absurde dans l'absolu, ce qu'il y a de grotesque dans ma posture à cet instant, en même temps
que je prends conscience de l'inanité de toute cette situation, en même temps qu'on se regarde, Bentottal et moi,
aussi épuisés l'un que l'autre, je m'accroche un peu plus
au chambranle légèrement poisseux de la porte. Je crois
que je ferme les yeux une seconde.

A-t-il peur que je m'écroule sur le palier ? Que je lui
inflige l'ennui supplémentaire d'une scène bruyante qui
alerterait le voisinage ? Le fait est qu'ayant lancé un regard
mouillé derrière moi, sur le palier qui dessert deux autres
appartements, il rouvre la porte et me fait signe d'entrer.

– Une minute, marmonne-t-il en pointant un index
déformé en direction d'une chaise à dossier métallique.

Puis il disparaît dans une autre pièce, à l'autre bout de
celle dans laquelle il m'a fait entrer. Pas très bavard,
M. Bentottal. Ou alors je l'ai réveillé pour de bon, bien
qu'il soit pas loin de midi.

La pièce sent le confiné. Elle me semble plus petite
encore que le studio de Vito, mais cela tient peut-être à la
quantité de meubles et d'objets qui s'y entassent. Les
murs sont recouverts d'un papier peint à motif végétal,
tiges de bambou vert pâle sur fond gris clair, dont un pan
se décolle sous la fenêtre. En face de moi, un canapé
dépliant recouvert d'une housse pelucheuse lie-de-vin,
flanqué de deux tapisseries aux couleurs acryliques et

soyeuses, représentant pour celle de gauche une scène bucolique avec moutons, pâtre joueur de flûte et ruisseau cascadant, pour l'autre une grosse *mosk* toute blanche hérissée de minarets, genre tombeau du Prophète à Médine.

Une table basse, composée d'un plateau de cuivre repoussé posé sur un pied de bois sculpté formant un double X, occupe le centre du parquet en damier de petites lattes usées et grises sur les trajectoires de circulation intensive (si on peut imaginer quoi que ce soit circulant intensivement dans cet endroit). À ma droite, la chaise métallique que Slimane Bentottal m'a désignée, puis une desserte en acajou verni supportant une petite télévision joufflue et, près de la même baie vitrée que chez Vito, un buffet de bois plus clair à quatre portes pyrogravées.

Un vrombissement de tuyauterie me parvient de là où il a disparu. Je m'approche doucement du buffet sur la partie basse duquel sont disposées, parmi d'autres bibelots, une coupe en céramique rouge et noir, de forme asymétrique, contenant une pile d'enveloppes, quittances, dépliants publicitaires, et trois photos encadrées. Au centre de celle de gauche une femme souriant entre deux enfants, visage rond, yeux clairs. La façon dont elle est habillée – veste à pois multicolores ultra-épaulée, style Sue Ellen à *Dallas* – évoque les années 80.

Sur la photo centrale, on reconnaît les mêmes enfants, nettement plus âgés : la fille semble avoir à peu près dix-huit ans, le garçon quatorze ou quinze.

Le troisième cliché, un minuscule 10 × 15 noir et blanc à bords dentelés, est un portrait de groupe. Devant une construction de pierre sèche adossée à une pente minérale et chaotique, une dizaine d'hommes en armes, vêtus de manière disparate : quelques treillis militaires, un ou deux vestons sombres, des djellabas. Tous portent la moustache sauf les deux plus jeunes, accroupis au premier plan. Celui de gauche, vu de plus près, se révèle être une jeune fille aux cheveux enfouis sous une casquette. Quant au deuxième, à peine un adolescent qui tient fièrement un fusil de chasse, ses traits présentent une similitude flagrante avec ceux de Slimane Bentottal : haut front proéminent sous une couronne d'épais cheveux frisés, nez mince et cabossé, menton en galoche. Mais le garçon de la photo a une expression déterminée, ses yeux brillent d'insolence et de malice, alors que sur le visage curieusement charpenté de l'homme au chien je n'ai lu que fatigue, morosité, et d'autres sentiments moins définissables mais dans l'ensemble peu engageants.

Plus de bruit dans mon dos. En levant la tête, j'aperçois le reflet de Bentottal dans une vitre du buffet. Il tient entre ses dents les pans de sa chemise et resserre, l'une après l'autre, les trois boucles métalliques d'un corset rigide et sombre, en cuir me semble-t-il, qui enserre son torse sur une vingtaine de centimètres de hauteur. Je replonge vers les photos tandis que, l'instant d'après, il entre dans la pièce avec un plateau.

J'accepte sans vergogne la bière qu'il m'offre, il se sert un Nescafé. Slimane Bentottal porte un corset, ce qu'on appelle je crois une ceinture lombaire, c'est un homme malade et je l'ai probablement réveillé.

— Vos enfants? dis-je en montrant les photos.

Il vide sa tasse d'un trait et hoche la tête.

— On est séparés. Je les vois pas souvent, ils vivent à Troyes.

— Troyes? dis-je machinalement. C'est ma ville, Troyes. J'y suis née.

— Rue de la Maille, précise Bentottal. Vous connaissez?

Jamais entendu parler, mais j'acquiesce avec conviction.

— Bien sûr. Rue de la Maille. Du côté de la gare? Je connais très bien.

Pour la première fois je vois Bentottal sourire. Et ça vaut le coup. Il a le même sourire, exactement, que le jeune homme au fusil. Je lui souris en retour, m'éjecte de la chaise en métal et vais me pencher sur la petite photo noir et blanc.

— Et là, c'est vous?

— Oui, dit Bentottal. Au maquis.

Depuis qu'il a été question de Troyes on n'arrête plus de se sourire. Ou alors c'est le Nescafé. La bière. Il se lève, pour la première fois je remarque qu'il boite.

— Ça, c'était en 60. Ils sont tous morts, ceux-là. À la guerre ou au DOP.

Il parle doucement, avec un très léger accent.

— Au DOP?

— Les bérets noirs. L'électricité. La corvée de bois.

Il me regarde. Ses yeux larmoient toujours mais je lui trouve l'air moins vieux, moins malade. Comme si parler de ces choses sinistres le ravivait.

— J'avais une pierre dans ma poche, ajoute-t-il en souriant derechef, je parlais à ma pierre. Ça les faisait rire.

— Mais vous étiez presque un enfant?

Il secoue la tête en faisant la moue: je n'y suis pas du tout.

— C'est pas ça qui les gênait. Non mais je fayotais, je faisais le clown. Ils ont fini par me croire débile.

Il parle lentement, comme s'il hésitait à continuer. Je hoche la tête pour l'encourager. Il y a toujours cette lueur dans ses yeux. Je pensais qu'après mon étalage mélodramatique, mon impudeur de tout à l'heure, quand je m'accrochais au montant de la porte pour qu'il ne la referme pas, il m'avait cataloguée dans les emmerdeuses inquiétantes dont on devine qu'on ne se débarrassera pas sans quelques simagrées, me serais-je trompée?

Peut-être Slimane est-il un homme bon. Il me parle de sa jeunesse guerrière pour me distraire, me changer les idées, on est comme deux malades qui tuent le temps dans une chambre d'hôpital.

— Et quand j'ai été libéré, continue-t-il, les chefs de la wilaya ont cru que j'avais parlé. Sans lui (il montre le seul homme, sur la photo, qui porte une arme de guerre), j'étais pendu comme traître. Ou…

Il finit sa phrase d'un doigt qui tranche son cou. Puis se tait. Moi aussi. Cet index en travers de la carotide a ressuscité mon rêve à la morgue, les caillots noirs coagulés sous le menton mal rasé de Stern.

— Je voudrais que vous me montriez où vous l'avez vu cette nuit-là, dis-je en regardant la fenêtre derrière lui.

Slimane secoue la tête. Il ne semble pas étonné de ma demande. Il n'essaie pas de me dire à quoi ça sert ma petite dame. Ça ne lui plaît pas mais il se dirige vers la porte d'entrée, décroche un blouson vert matelassé et l'enfile, ce qui a pour effet de faire sortir le chien – je l'avais complètement oublié, celui-là – de la cuisine. Il se rue en clopinant, tel maître tel chien, vers la laisse que Slimane accroche à son collier.

Quelqu'un a pissé récemment dans l'ascenseur, sans réussir à vaincre totalement l'odeur de poisson frit qui l'y précédait. Le chien tire sur sa laisse et s'agite sur ses trois pattes valides.

– Merci, dis-je à Slimane. Je m'appelle Rose.

Dans le hall, le chien gémit et griffe mollement le ciment de sa patte tordue. Slimane se penche pour décrocher la laisse du collier et s'appuie un bref moment contre le mur, à côté de l'inscription «Fuck les keufs» que personne n'a jugé utile d'effacer.

Le chien jappe une fois. D'un pas accordé, symétriquement claudiquant, ils longent les boîtes aux lettres défoncées et franchissent le seuil du hall, moi sur leurs talons. On traverse la dalle de béton vers l'extrémité opposée à la tour, tandis que le soleil dépose sur l'enduit crasseux de la barre ouest une trompeuse et éphémère, mais gratuite, poudre dorée. Nous longeons une aire de jeux assez pimpante, balançoires et toboggan aux couleurs vives. Un coup de vent les fait éternuer l'un (l'homme) après l'autre, et on se retrouve en haut d'une pente herbue, parsemée de buissons poussiéreux. Tout en bas, une centaine de mètres plus bas, une rangée d'arbres épineux trace la frontière avec un autre ensemble de barres et de tours.

Je demande à Slimane s'il connaît «mon mari».

– Non, me répond-il. Je ne lui ai jamais parlé mais je l'ai vu. Tous ceux qui ne sont pas d'ici, on les voit.

On suit l'animal qui entreprend une descente en zigzags, s'arrêtant ici ou là sur ses trois pattes valides pour renifler des dépôts d'intérêt strictement canin. Ou pour secouer ses longs poils, et alors il ressemble à une de ces brosses molles qui tournoient dans les stations de lavage automatique de voitures.

Arrivé à mi-pente il s'arrête net, son informe corps bicolore se raidit. À cet endroit on est quand même environné, malgré l'impression d'abandon général, par un semblant de nature en proie au mois cruel – l'air devient élastique, se remplit de battements d'ailes, le végétal s'oxygène, les vers de terre s'affairent à leurs grands travaux de printemps.

Le chien lève le museau et se met à gronder, comme si on lui avait expédié un méchant coup de latte dans les côtes. Il ne semble guère apprécier d'être délogé de son hiver.

Slimane maugrée lui aussi. Depuis qu'on est dehors, il est retombé dans son humeur morose.

Il tend le bras vers un assemblage de ferraille de quatre mètres de haut qui se dresse au pied de la pente, à la lisière du petit bois. Une œuvre énergique de l'époque abstraction militante, suggérant peut-être un bras qui sort de terre et lève le poing vers le ciel, ou quelque autre désuet symbole de lutte et d'avenir meilleur.

– Il paraît qu'au départ ça s'appelait l'Espoir, me confirme Slimane. Mais ici tout le monde dit la Potence.

C'est par là qu'on se dirige. Slimane s'arrête sur le talus juste au-dessus de la Potence, le chien se couche à ses pieds, ferme les yeux, plonge la gueule entre ses pattes avant.

Au pied de ce grand machin gris sombre, sur environ deux mètres de diamètre, l'herbe paraît avoir été piétinée, taclée et arrachée, découvrant des plaques de terre noire saturée de flotte. Mais c'est peut-être seulement les pluies de ces derniers jours.

— La police les cherche, me dit soudain Slimane. Je ne crois pas qu'ils les aient encore trouvés.

Il regarde devant lui. J'imite son ton neutre.

— Qui ça ?

— Il y a eu bagarre, précise-t-il en pointant le menton vers le ring boueux. Deux jeunes d'ici. Et... votre mari. C'est ce que j'ai entendu.

Mes oreilles se remettent à bourdonner. L'espace d'un instant j'ai une vision genre dormeur du val, un remake furtif du cauchemar de la nuit : juste là au pied de la Potence, un homme étendu sur le dos bras et jambes écartés, comme s'il s'était allongé dans l'herbe pour profiter du printemps qui vient, sauf que le fond de l'air est un peu frisquet et le sol boueux. Je reconnais la grande carcasse de Vito. Je vois mal son visage, mais il semble contempler le ciel en se foutant de tout.

Je ne vois pas son cou non plus. Les mots «sourire kabyle» me traversent la tête. Sans doute à cause de la photo chez Bentottal et de ses histoires de maquis.

— Vous les connaissez, ces jeunes? lui demandé-je, constatant avec soulagement que le fait de parler éloigne l'hallu.

À la façon dont il se raidit, je sens qu'il regrette d'avoir été si bavard.

— Pas spécialement, me répond-il en jetant un œil derrière lui, vers la pente.

— Mais ici tout le monde connaît tout le monde, non? Comment ils s'appellent?

Slimane hausse les épaules, prétend ne pas savoir.

Il tapote le dos du chien qui se lève dans un tourbillon de brosse molle et ils s'éloignent sans plus de cérémonie, aussi muets l'un que l'autre. Quelques pas plus loin Slimane se retourne à demi. Sans s'arrêter, il ajoute:

— Bonne chance.

— Visiblement on l'intrigue, le Moskowitz. Je ne pense pas qu'il me soupçonne d'avoir tué Vito… En revanche, notre topologie libidinale l'intéresse beaucoup. La prochaine fois il me demande si on serait pas amants, toi et moi.

Guy se rejette en arrière sur le cuir vieux bleu du Charlotte Perriand. Il caresse son crâne chauve, rajuste le bandeau qui couvre son œil gauche, me fait un de ses sourires fin de bobine.

— Ça le tracasse, s'amuse-t-il. Il ne sait pas ce qu'il a sous la patte, qu'est-ce que c'est que ce trio-là, mais il ne dit rien. Il attend. Il n'est pas si con qu'il y paraît ce type, avec ses airs exténués.

Guy est vraiment borgne et vraiment chauve, il est le seul authentique dandy borgne chauve que je connaisse, mais par moments même de cela on doute. Quand on discute avec lui on a parfois l'impression de jouer dans un film dont il serait le réalisateur, le premier rôle et le seul vrai public. Je l'ai vu une fois se lever au milieu de la nuit, à moitié endormi, pour aller pisser. Il bougeait exactement comme s'il venait de se dire : action. *Guy's movie.*

Je demande au dandy borgne chauve s'il a remarqué les oreilles de l'inspecteur.

– Oui. Transparentes, émotives. En fait il me plaît assez, Moskowitz.

Il examine une grosse revue de luxe brillante posée sur son bureau. Je reconnais la photo sur la couverture, un empilement de conteneurs de couleurs vives – accrochée actuellement dans la galerie de Guy, avec d'autres de la même série faite par Camilla Blatz dans le port de Gennevilliers.

– C'est de la merde, dit-il.

– De la merde ?

– L'expo de Blatz. Elle me gave, avec ses lignes à haute tension et ses photos vides. Le non-lieu, le terrain vague post-beckettien, ça commence à dater, non ?

– Vraiment.

– Vraiment. Elle a plus rien dans le ventre.

– Pourquoi tu l'exposes alors ?

Il prend l'air épuisé du mec que tout dégoûte.

– La thune. Y a plus que ça qui m'intéresse. Et comme tu le sais, Camilla égale thune.

Ce disant, c'est Guy lui-même qui paraît usé. Je fais un

effort pour ricaner avec lui. Peut-être, à force de jouer et
de se regarder jouer, peut-être est-il devenu seulement ça,
Guy Moth, un mec qui fait de la thune.

— J'ai rêvé de Vito, dis-je.

Je lui décris le cadavre sous le drap, la tranchée bordée
de caillots noirs sous le menton.

Il lève la tête. Une certaine lueur dans son œil pailleté
de vert me rappelle que lui aussi est un voyeur. Notre
secrète confrérie à tous les trois, depuis le début. Guy
aime bien développer l'idée que les cinéastes comme les
photographes sont des *Peeping Tom*, des voyeurs, et citer
Hitchcock apprenant à Truffaut que l'espèce humaine se
divise en deux : les acteurs et les voyeurs.

— Si c'est vrai ce qui se dit, que les rêves réalisent nos
désirs…

Il fait sèchement claquer sa langue — agacé par sa
propre bêtise — puis se renfonce dans le Perriand. Ce
fauteuil, selon Guy lui-même, est le seul objet qu'il ait
gardé de l'héritage de son père. Christian Moth, marchand de meubles et d'objets d'art dont la fortune a pris
un bel essor pendant la guerre grâce à l'appui de quelques
amis allemands au goût très sûr. Guy détestait son père
mais à la mort de celui-ci n'a pas résisté à la tentation
d'emporter le fauteuil au cuir magnifiquement patiné.

— Bon OK c'est pas drôle. Mais tu veux mon opinion ?

En fait non, pour l'instant je ne veux pas son opinion.

Je me lève. Me trouve nez à nez avec Stern – une photo que je ne peux pas ignorer, je l'ai prise moi-même, là sur ce mur depuis des lustres. Stern trafiquant quelque chose devant un ordinateur, trois quarts profil droit grimaçant un sourire en coin, paupière lourde mi-close – ses paupières si souvent baissées, cette façon de garer son regard, de choisir quand et sur qui il va finir par le poser.

Je pivote vers la fenêtre. Et ce n'est pas que le paysage soit fantastique. Une cour d'immeuble fin XVIIIe comme il en existe des dizaines dans le Marais.

– Eh bien je suppose… Enfin tu le sais, ce que je pense, non ? Si quelqu'un est capable de disparaître comme ça sans prévenir, c'est Vito.

Un signal d'alerte clignote faiblement dans un coin de ma tête. Si ce type cherchait à se débarrasser de moi ? disait n'importe quoi pour ne plus me voir ?

– Oui bien sûr. Et la godasse pleine de sang ?

Guy hausse les épaules :

– Une blague ? d'ivrogne ? Imagine, il est bourré et…

Je ricane dans son dos.

– Et il disparaît pendant dix jours ? Tu te fous de moi ?

Il se lève et vient se planter de l'autre côté de la fenêtre, avec un sourire plein de gentillesse et de chaleur. La crapule sympathique au bandeau noir, le borgne qui aime les photographes et que tous les photographes adorent.

– Je ne ferais jamais une bêtise pareille, m'assure-t-il.

– Dans ce cas, lui dis-je en le regardant bien en face, si tu me disais simplement ce qui se passe? ce que tu sais?

Il rit, me serre dans ses bras, comme ça je ne vois pas la tête qu'il fait, et balaie toutes mes questions d'un catégorique:

– Laisse tomber. J'ai réfléchi à tout ça.

Comme je me dégage de son étreinte, il ajoute:

– Vito, ça fait un moment qu'il piétine, non? Qu'il tourne un peu à vide? Ne me dis pas que tu n'as pas senti ça.

Il me tapote l'épaule.

– Allez, Rose. Il faut lui foutre la paix, c'est tout. Et il va nous tomber dessus comme d'habitude, quand on s'y attend le moins.

Nouvelle énigme: pourquoi Guy adopte-t-il ce lénifiant langage alors qu'il y a une semaine c'est lui qui a alerté la police?

– Comment es-tu entrée dans le studio? enchaîne-t-il sournoisement.

– J'ai pris un double des clés chez lui.

Normal, banal, rien à commenter. Chacun de nous a les clés des trois appartements, ça faisait partie de l'arrangement initial quand nous avons emménagé rue de l'Homme et, les années passant, personne n'avait demandé aux autres de lui rendre les siennes, même dans les pires périodes.

Guy m'éloigne de lui, il me tient à bout de bras par les épaules. Son œil bleu me sourit et me jauge.

– Et qu'est-ce que tu vas faire maintenant?

– J'y retourne. Je suis juste passée prendre quelques affaires.

Je sais ce qu'il pense. La dernière fois qu'on s'est vus, je l'ai obligé à écouter jusqu'au bout un réquisitoire implacable contre Stern. Un peu outré sans doute, si ce n'est ridiculement colérique.

Vraiment, m'énervais-je sous l'œil unique et narquois de Guy, vraiment plus il vieillit plus c'est insupportable, non? Cette manie du secret, tout ce pseudo-mystère, ces phobies de vieil avare, franchement, qui supporte encore ça? Non, tu vois, Stern, m'exaspérais-je à sentir mes joues s'empourprer, Stern de plus en plus souvent je le vois comme ça, en contorsionniste autophage, en vampire narcissique aspirant désespérément les dernières gouttes de son propre sang. Tu vois le tableau? Vito Stern hypertrophiant ses petites névroses, les gonflant à l'hélium pour atteindre à des mensurations de vrai cinglé, catégorie Howard Hughes?

Etc.

– Bien sûr, concédé-je à l'œil actuellement plutôt fuyant de Guy, il y a cette espèce de flic qui est censé s'en occuper. Mais bon, je vais regarder un peu à droite à gauche, c'est tout.

C'est tout? me rétorque l'œil. Tu ne vas pas squatter ce studio où il ne nous a jamais conviés, ni toi ni moi?

Et puis brusquement son regard s'en va, plus grand monde en face de moi.

— Bon mais va pas te faire bolosser, esquive-t-il en rigolant.

— ...?

— Caillasser, dépouiller. En ce moment le mot c'est bolosser, bien trouvé non, cette espèce d'aboiement?

Il embraye sur les sauvageons qui font cramer les bus, aucune parole articulée ne sort de leurs bouches que des cris et ça lui suffit, à Guy, pour élucubrer un nouveau mythe : le cri de la racaille, booloss-booloss, des canuts en Nike, non même pas, plutôt le bégaiement analphabète des jacqueries du Moyen Âge, *gangs of Paris*, on bo on bo-obo on bo-o-loss les bo-obos vio-len-ce-pour-la-violence-nous-vivons-une-basse-époque, c'était dans le dernier séminaire de Castoriadis, on l'a pas volé.

Guy aime bien lire les revues où ça pense.

Ce n'est pas que je lui donne forcément tort mais enfin. Je me lève.

Du coup, je m'en vais sans lui dire que les flics en cherchent deux, de ces jeunes brutes, qui auraient – bolossé – Vito.

Sur le quai une fille en noir très jeune, quatorze quinze ans, me tourne presque le dos, turban noir plaqué contre son front bombé presque aussi noir, veste longue cuir noir, pantalon serré dans bottes hautes de daim noir, col roulé mastic, grande besace molle en toile écrue. Je fouille dans mon sac, elle bouge trois quarts face, encore mieux, je mets la main sur mon Nikon, j'hésite, est-ce que je peux vous ? est-ce qu'une personne aussi gracieuse et élégante que vous peut habiter dans un endroit pourri comme le Fond des Forêts ?

Le train arrive, RER D, rouge et bleu à impériale, nom inscrit en lettres lumineuses sur son front carré, PUMA, ses banquettes déchirées, ses vitres gravées de laids paquets lettristes, MILE RISOT SUD RONG OURNE, ses signaux d'alarme rouge sang ses petites vieilles pas tranquilles sa porte qui claque.

Clack.

La fille en noir est restée sur le quai, suprêmement indifférente à la laideur qui l'environne.

Je m'assieds en face d'un grand maigre au casque vissé sur les oreilles. Ce type hoche son long visage chevalin *fort-da fort-da fort-da* – tête de Christ qu'on aurait laissé vieillir, définitivement abandonné par sa girouette de père à son poste de fils et le monde en eût été changé, quolibets, soldatesque romaine écroulée de rire, quand on pense qu'on était à deux doigts de le crucifier ce clown, et on s'en serait collé pour deux mille ans de génuflexions, confessionnal et montres de première communion. Vautré sur son siège, ses cuisses creuses encadrant les miennes ballottent aussi, me frôlent de temps en temps sans que j'arrive à savoir si c'est intentionnel ou pas, tandis que d'une main il gratte une guitare imaginaire avec une régularité métronomique.

À ma droite un petit bonhomme tassé sous un bonnet deux fois gros comme sa tête farci de dreadlocks, en tricot acrylique beige orné de continents africains noirs, manipule son téléphone entre ses doigts, sur un rythme plus rapide mais tout aussi binaire que le Christ au walkman.

Ça fait comme un concours de branlettes aux extrêmes bords de ma vision périphérique.

Je m'endors à moitié, bourrée de fatigue. De temps en temps, entre deux grincements de freins, il me semble vaguement entendre Vito ricaner.

Sacré Guy, hein?

Qu'est-ce que? Il s'éloigne entre les banquettes, me fait un petit signe au passage deux doigts en l'air – une bénédiction? va en paix ma fille ou est-ce que je rêve?

Quand j'ai rencontré Guy c'était un jeune homme sarcastique qui sortait de l'Idhec et d'un mal d'amour dont il était presque mort. Cuite suicidaire au volant de sa ronflante TR4, un platane plein pot, trois tonneaux douze fractures un œil crevé par la tige du pare-soleil. Un an d'hôpital et de rééducation plus tard, restait ce Guy-là au bandeau noir, vaguement post-situ, se déplaçant en bande avec d'autres aspirants cinéastes qui tournaient autour de Vito. Cinémathèque tous les après-midi, discussions overnight, corps tièdes entassés dans des piaules, drague serrée.

Comme un trophée qu'on brandit après le match, on me poussait en avant pour fendre la cohue au cours de Deleuze à Vincennes, aux séminaires de Barthes, de Foucault ou même parfois du vieux Lacan. J'absorbais tout ce que je pouvais avec avidité et insouciance, dans un désordre dont j'avais à peine conscience je remplaçais sans moufter *Angélique marquise des Anges* par *Pierrot le fou* et Mireille Mathieu par Lou Reed. J'apprenais que le complexe d'Œdipe n'est pas éternel avant d'avoir compris ce que c'était, qu'il ne fallait pas lire les journaux sans grille de décryptage, que le mensonge était une science complexe sur quoi se fondait toute sorte de pouvoir. J'abandonnais Barbara Cartland pour Marguerite Duras période *Détruire, dit-elle*, et surtout je faisais connaissance avec Kurt Schwitters, Gaston Chaissac et les *combine paintings* de Rauschenberg – je les aimais comme des proches, comme des amis de mon cerveau boulimique, hirsute, peuplé de pièces et de morceaux raccordés à la six-quatre-deux.

Dans la journée, Vito était occupé à des choses dont il me parlait par ellipses, comme si j'étais une sorte de pythonisse qui devinait tout ce qu'il faisait. Il n'y croyait pas, évidemment, il faisait semblant de croire à tout ça, qu'on était sur la même longueur d'ondes, qu'on menait chacun notre vie à égalité, en grandes personnes.

Et moi je faisais semblant aussi, et au début tout ça s'arrangeait pas trop mal.

Ça marchait aussi grâce à mes chaperons, les futurs cinéastes : en tant que pure fille du prolétariat et compagne de Vito, je bénéficiais auprès d'eux d'un prestige vertigineux. Dans ce milieu de petits ou moyens bourges dessalés où les grandes gestes utopiques faisaient encore de l'audience, j'étais à moi toute seule le peuple courageux, opiniâtre, solidaire, ingénieux, drôle et inventif. Les filles copiaient ce qui restait de ma garde-robe nunuche de Troyes, jupe à bretelles et cols roulés moulants en acrylique, les mecs se battaient pour que je grimpe sur leurs bécanes de simili voyous.

C'était excitant, même si de temps en temps, par éclairs, je comprenais que ma propre imposture (après tout je n'avais jamais demandé à être sacrée petite mère du peuple) en cachait une autre bien plus grave. J'étais bien placée pour savoir que là d'où je venais il y avait aussi peu de héros et pas moins de pleutres, lâches, fourbes, égoïstes, pas moins de cruels et d'imbéciles qu'ailleurs.

À commencer par moi, que dégoûtaient toutes ces pauvres laides babioles accumulées par ma mère sur son buffet de cuisine, toutes ces choses que je regardais moins d'un an plus tôt comme inévitables, son tablier de gardienne, les sardines du dimanche midi l'apéro la belote et le reste. Mes parents étaient frustes, conformistes, candidement racistes – comment auraient-ils pu faire partie d'un quelconque projet révolutionnaire?

Mais par quel moyen leur expliquer ça, aux jeunes Parisiens?

Je ne savais pas.

Pour leur faire plaisir je leur décrivais une journée chez Pantex, par le menu je leur racontais toute une journée debout dans la chaleur humide, mal au dos mal aux jambes, les rigolades avec Didi, j'imitais les cris et grondements de chaque machine, coupeuse assembleuse remailleuse rebrousseuse piqueuse repasseuse – ils étaient aux anges.

Pour finir c'est Guy, grand admirateur de Jean Rouch, qui sut prendre la vraie mesure de la situation. Son plan était d'une simplicité idéale : on allait faire un film dont je serais l'héroïne ou plutôt l'antihéroïne, en racontant ma vraie histoire d'ingénue prolétaire, débarquant dans la capitale et découvrant les mœurs étranges de jeunes intellos *au service du peuple*.

La candide ouvrière devait s'appeler Jeannette.

Tout allait bien.

C'était juste avant l'entrée en scène de deux nouvelles vedettes pas prévues au scénario : Hélène, nom de code de l'héroïne la vraie, l'anti-antihéroïne, la jamais assez pure ni assez blanche, et Corinne la coke.

D'abord petits rôles, excitantes, légères, puis envahissant sournoisement le terrain comme l'Ève d'*All about*, la doublure anthropophage de Margo Channing.

Je n'achetais jamais un gramme d'Hélène ni de Corinne, il me semblait naturel d'en voir sortir des poches et des sacs à main tout aussi simplement que des clopes. En minuscules paquets rectangulaires souvent faits dans ce papier souple, métallisé sur une face, qui double les emballages de cigarettes, et pliés avec une précision d'origami pour éviter toute fuite de leur précieux contenu. On va jusqu'à en lécher les pliures quand ils sont vides, dans un geste un peu théâtral. Un autre rectangle de papier, de préférence un billet de banque, le dollar étant réputé de bonne tenue, à enfoncer roulé serré loin dans la narine. Une bonne lame de rasoir pour écraser les cristaux, tracer sur un miroir des lignes qu'on aspire en se bouchant l'autre narine. Certains, par goût du risque, fragilité constitutionnelle ou simple connerie, échangeaient au bout d'un temps ces accessoires puérils pour d'autres plus sérieux – seringue, petite cuiller, citron, garrot, etc.

Vito regardait tout ça de loin, de plus en plus loin, puis ne regarda plus du tout. Si ça le dégoûtait, il le gardait pour lui. Il ne me reprochait jamais rien, même plus de me ronger les ongles. De toute façon, au début des années 80 il était très peu là. Le trio de Parisiens, après Troyes et quelques autres coups du même genre, avait cessé de vouloir transférer dans les mains solides des ouvriers leur fragile savoir. «C'était une belle idée, avait résumé Guy qui faisait déjà le commissaire d'exposition à Beaubourg, oui, c'était une belle idée mais ça a foiré.»

Vito partait loin, filmait seul, restait souvent des mois d'affilée au milieu de gens dont il finissait par apprendre la langue, explorait les réactions en chaîne que déclenchaient sa présence et celle de la caméra. Sa réputation de cinéaste inclassable prenait peu à peu une tournure irréversible. Sans cesser d'effrayer la plupart des producteurs

– à peine moins quand ses films commencèrent à être primés dans les festivals et décortiqués dans les écoles de cinéma.

À Paris, *Jeannette*, le film, n'a jamais pris forme.

Cependant moi, Rose, je fus jusqu'à un certain point fidèle au scénario.

Je suis devenue photographe. En complément du vieux Reflex offert par Guy qui prétendait ne jamais s'en servir, j'ai acheté un Hasselblad d'occasion. Je m'installais un labo de fortune là où je posais un temps mes pénates portatifs, je photographiais mes amis riant, pleurant, s'aimant, s'ennuyant – presque tous mes sujets de l'époque étaient en intérieur et de nuit, et je retrouvais parfois, avec la palette violente du cibachrome, certaines couleurs saturées des toiles de Rothko.

On buvait, on se poudrait le nez, on perdait ses dernières illusions, on transhumait d'une fête à l'autre, troupeau lent et snob. On regardait les kamikazes dévaler la pente sans freins.

Comme Jeannette aurait pu le faire avec les apprentis cinéastes quelques années plus tôt, je photographiais nos vies d'animaux nocturnes, futiles, extravagants. J'aimais cette dépense, ces excès sans calcul. Les trognes bouffies de l'aube, les postures kitsch, la luminescence surnaturelle des corps chargés de poudre mettaient en scène un sens de l'éphémère, une science de la dérision qui me charmaient. Et une part de moi, celle qui était arrivée de la provinciale Troyes dans les bagages d'un beau cinéaste, sanglée dans son petit manteau à boutons dorés, cette part de moi adorait être devenue la photographe d'une bande de déglingués, être devenue l'une d'eux.

On détestait mes photos ou on les portait aux nues. On me traitait de perverse narcissique, d'exhibitionniste ou on louait mon courage, mon œil, mon sens de la provocation et pourquoi pas mon humanité. J'entendais et je lisais tous ces commentaires, flattée que mon travail ait les faveurs des journalistes – et agacée par le malentendu. Ils souriaient quand je me défendais de rechercher la provocation. Ça ne me concerne pas, leur disais-je. Ce qui m'intéresse moi c'est la lumière singulière de chaque corps humain, le mouvement des corps, les passions bonnes et mauvaises, ça doit bien se voir quand même, non? Les journalistes hochaient poliment la tête.

Dix ans plus tard l'argent que je gagnais avec mes photos me permettait d'acheter autant de drogue que je voulais – pour mon bonheur (je n'étais pas obligée de voler, de dealer ou de me prostituer comme certains de mes amis) ou mon malheur (j'en étais à trois grammes par jour). Nous avions appris le cynisme, que nous confondions avec la lucidité. Tout le monde était fauché, la maladie entrait partout, saccageant la fragile toile des plaisirs de notre petit clan pas clean, nous éjectant du temps parallèle de la drogue. Je ne m'étais presque jamais piquée, préférant sniffer des quantités de plus en plus importantes de poudre à la seringue, grâce à quoi sans doute j'échappai à la pandémie. Les plus fragiles mouraient vite. Les autres traînaient d'hôpital en hôpital leurs vieux corps de trente ans.

En grinçant de toutes ses forces le train nommé PUMA s'arrête au terminus. Le triste Christ sans père se déplie en grimaçant, il n'y a plus que nous et une femme chargée de deux lourds cabas à descendre du wagon.

Pour aller au Fond des Forêts il fallait attendre un bus aléatoire, d'autant plus à cette heure creuse du milieu de l'après-midi, qui me déposerait à proximité si je ne ratais pas l'arrêt Maréchal-Liautey-Liberté. Ou, comme je l'apprends en interrogeant la femme aux cabas, marcher vingt minutes à travers la zone ni campagne ni ville qui s'étend en contrebas de la gare. Une route à quatre voies, le pont métallique qui l'enjambe et divers ronds-points nouant des voies de moindre importance, comme les os d'un squelette lacunaire autour desquels on aurait déposé au hasard, sans savoir comment les assembler, des fragments de corps : pavillons en meulière noircie, parallélépipèdes aveugles et frappés de sigles obscurs, autres boîtes, de verre, exposant canapés de cuir et vêtements de sport, toits en sheds de vieux entrepôts, lots d'immeubles récents, anciens champs retournés à la friche et bosquets encore hivernaux.

En attendant que quelque chose apparaisse, disait Vito, en attendant de voir quelque chose là où on ne voit rien.

Une dizaine de personnes s'étant égaillées avec une assurance enviable dans cette pagaille, nous nous retrouvons, la femme du train, ses sacs et moi, à poireauter côte à côte dans l'abribus. Deux souris prises au piège sous le couvercle du ciel, d'un gris lessiveuse entartrée. En face de nous un panneau publicitaire proclame qu'à la Boucherie Bonoviandes c'est la semaine du porc et que pour toutes les côtes, origine France, c'est 3,95 € le kg. Au bout de dix minutes d'attente, je me sens presque à l'aise avec ma voisine, dont la maigre chevelure est maintenue plaquée contre son crâne rond par : un gros élastique bleu genre chouchou, quatre pinces métalliques (deux à l'arrière de chaque oreille), deux barrettes imitation écaille (sur le dessus du crâne) et un serre-tête recouvert de gros-grain bleu marine. Elle est secouée par un tic sonore. À intervalles réguliers, un bruyant mouvement de succion lui déforme la joue gauche et tord sa bouche. Deux fois de suite, je compte jusqu'à trente entre chaque succion. Peut-être a-t-elle simplement une dent creuse. Serrant contre elle son anorak mauve, son parapluie fleuri et son sac à main en patchwork de faux cuir multicolore, elle m'indique l'itinéraire sans chercher à déguiser sa curiosité. Ses yeux globuleux couleur d'huître, grossis par des lunettes d'hypermétrope, me dévisagent avec avidité tandis qu'elle me renseigne. Au troisième rond-point à droite jusqu'au centre culturel municipal Sidney Bechet, puis contournez le garage rouge, continuez jusqu'au Kosto, coupez à travers, ça fait comme une espèce de champ, vous verrez le chemin, traversez la nationale, vous y êtes.

Tandis que je m'éloigne, je sens son regard s'efforcer de me radiographier le dos.

— Hé, me hèle-t-elle. C'est pas la première cité que vous verrez après le pont. La première c'est les Mattes. Le Fond des Forêts c'est après, sur la colline.

Après le garage, je longe un terrain vague fermé par une palissade à claire-voie. Je frôle un groupe d'hommes qui discutent de part et d'autre d'une ouverture pratiquée au milieu de la clôture. Corps épais voûtés, vestes de cuir, plantés dans la boue jambes écartées. Je les regarde, on dirait des maquignons, conciliabule, ils m'évaluent, l'un d'eux me fait signe d'entrer, ils trafiquent mais quoi – et là seulement je vois, alignés de guingois sur le terrain défoncé, quatre ou cinq rangs de voitures en divers états de décrépitude –, les autres font signe que non, laisse tomber, ça se voit que je ne suis pas là pour acheter une voiture d'occasion, volée ou pas.

Devant l'entrée du Kosto, le supermarché du coin, deux basketteurs en costume sombre tuent le temps avec un flegme morose, mais quand je passe devant eux j'entends qu'ils parlent de leur comité d'entreprise. Sans doute les vigiles de l'établissement. J'hésite, il me reste au moins un kilomètre à parcourir mais c'est probablement ma dernière chance d'acheter quelques provisions avant d'arriver au Fond des Forêts.

Il n'y a pas foule là non plus et c'est en pure perte, pour l'instant, que s'étale sur toute la largeur de la façade ce slogan : «Si manger équilibré est un privilège de classe, alors il faut lutter!»

Avec une douceur presque inquiétante, une femme à l'accent antillais ou peut-être réunionnais me propose *La Vie chrétienne* et, comme je décline, me gratifie tout de même d'un «Que Dieu vous bénisse!» plein de mansuétude. L'odeur aigre émanant d'une montagne de cartons vides qui s'entassent près du tourniquet de l'entrée ne semble pas l'incommoder. Isolées au milieu d'une rangée de caisses fermées, rétrécies par le néon qui leur pleut dessus, trois caissières en blouse mandarine, assises l'une derrière l'autre, pianotent sur leurs touches.

Réflexion faite, Dieu a peut-être décidé de me faire payer mon désintérêt pour *La Vie chrétienne*. Au bout de la file que j'ai choisie, la caissière se bat avec son tiroir-caisse qui refuse de s'ouvrir.

Devant moi deux types se mettent à discuter, à se plaindre d'une chose et d'une autre.

Mais si c'était pour moi pas de pot, Dieu, je ne suis pas spécialement pressée aujourd'hui. Pour qu'Il n'en doute plus une seconde, j'attrape un magazine sur un présentoir, un de ces tabloïds puérils et clinquants. J'apprends que pour Denise Wonder ça ne va pas du tout. Cette crêpe molle de Dylan l'a abandonnée en pleine grossesse pour s'afficher avec la dernière lauréate de la Star Ac'.

Assez curieusement, la caissière qui me tourne le dos a le même journal déplié sur les genoux, et précisément à cette double page consacrée au drame Denise Wonder. Elle y jette un coup d'œil entre deux clients.

Il faut reconnaître que Denise a une tête atroce sur la photo floue. Cheveux plats, lèvre supérieure déformée par un bouton de fièvre, bide de monstre marin – elle est enceinte d'au moins huit mois –, lunettes noires renforçant l'impression de naufrage.

Du coup cette fille, la caissière je veux dire, m'attire. Moi aussi, à son âge, je me délectais de ce genre de littérature. Et elle aussi se ronge les ongles. Au relâchement de son dos, à sa manière d'attraper à l'aveugle les marchandises qui défilent sur le tapis roulant, de les présenter sans les regarder devant le rayon laser, ce qui l'oblige parfois à recommencer l'opération deux ou trois fois, puis de les balancer sans douceur de l'autre côté de la caisse, on devine qu'elle s'est mise en mode automatique. J'imagine que cette gazette pour midinettes est sa forme de révolte à elle, qui n'a évidemment pas le droit de lire, même une gazette, derrière sa caisse.

Brusquement, comme si quelqu'un venait de lui frôler

le cou, elle tourne la tête. Lance un coup d'œil agacé en direction d'une sorte de cage de verre, au bout de la rangée de caisses, dont la vitre est dépolie dans sa partie inférieure.

Mon cœur rate un battement.

Cette fille est sur le mur de vidéogrammes de Stern. C'est devant son visage que je me suis attardée hier soir, me demandant qui c'était.

Derrière la vitre il y a un type, un chefaillon qui, comme ça se trouve, lui aussi observe la jeune fille.

Elle se retourne vers sa caisse. Son visage d'adolescente reste impassible mais ses joues rosissent, sous le grand front bombé ses yeux noirs sont pleins de colère.

La voir en chair et en os ne m'éclaire pas sur cette impression persistante de l'avoir déjà vue, je ne la reconnais pas davantage qu'en photo, mais du moins je peux imaginer Vito s'intéressant à elle.

Il faut que j'avance, ma caissière qui s'appelle Sharon, on peut lire son prénom sur son badge, a réglé son problème de tiroir-caisse. Un des deux bavards, le plus âgé, semble déprimé. Il soupire, en conclusion d'un long soliloque, qu'il ne supporte pas l'injustice. L'autre client rigole.

— Faut pas garder ça pour toi, conseille-t-il bien fort, c'est pas bon. T'as qu'à cogner. Et s'y a un mort t'appelle un avocat qui s'appelle Jacob, tu verras il te sort de là vite fait.

Sharon fait une moue réprobatrice en regardant le baratineur. Peut-être le connaît-elle ou peut-être a-t-elle repéré en lui un «pays», à la façon de parler. Ils ont les mêmes pommettes saillantes et larges, la même peau très sombre. Puis elle se tourne vers celui qui ne supporte pas l'injustice.

– Même les animaux font le mal, lui dit-elle sévèrement, comme pour contrebalancer les propos de l'autre. Alors les hommes...

Et puis il y a une agitation soudaine. Le supermarché devient un champ électrique traversé de courants contraires. À l'entrée, les vigiles ont rectifié leurs poses avachies, écrasé leurs cigarettes. Deux flics en civil mais très reconnaissables les questionnent, les vigiles sont presque au garde-à-vous, ils hochent la tête. L'un d'eux jette un coup d'œil vers la caissière qui s'intéresse à Denise Wonder.

Pas de doute, c'est elle qu'il a regardée.

Les flics se dirigent vers le bureau. Les vigiles tournent en parlant comme des chiens qui se flairent.

L'instant d'après, un haut-parleur crachote.

«... est attendue au centre de régulation.»

Dans le bureau vitré, deux silhouettes masculines encadrent le chef des caissières qui se penche sur son micro. Il a le crâne presque rasé, le front bas et deux gros sourcils qui se rejoignent en accolade au-dessus de son nez.

La caissière se lève, je lis «Rhyme» sur son badge tandis

qu'une autre jeune fille en blouse mandarine arrive derrière elle.

Drôle de prénom.

«Rhyme est attendue au centre de régulation», répète le haut-parleur.

Les trois autres filles en blouse mandarine et les vigiles la regardent alors que, le visage fermé, elle s'éloigne.

Face aux caisses une petite femme aux cheveux gris en broussaille a l'air là pour rien. Imper sombre informe, sac posé par terre, visage mince, congestionné, couperose regard effacé, elle ne fait pas la manche, fait semblant d'attendre ou même pas, s'en fout de tout immobile là. On a peut-être le même âge.

Lorsque j'émerge sur la dalle les deux barres sont floutées par le crépuscule, seul le haut de la tour trempe encore dans un jus rose-mauve. Trois énormes rectangles, un dressé deux couchés, gris-bleu nuit, chacun perforé de petits rectangles éclairés traçant des lignes discontinues, agrégations de signes lumineux écrivant une formule incompréhensible vue d'ici.

Mais du coup ça fait des habitations. Peut-être même quelque part, à cet instant, quelqu'un ou du moins quelque intelligence déchiffre-t-elle ce message lumineux et communique-t-elle, mieux que moi, avec le Fond des Forêts.

Malgré tout cette fois je claque derrière moi, sans hésiter, la porte du studio. Une fine odeur de moisi me passe sous le nez, que je n'avais pas remarquée hier.

J'allume.

Ça réveille une grosse mouche noire qui n'était pas là

hier non plus. Elle démarre lourdement. Son vol vrombissant me rappelle la mouche géante qui extermine grâce aux rayons mortels de ses yeux une flopée de soldats venus d'un quelconque empire du mal – c'était je crois dans *Bombyxx*, un film fantastique de John Velvet.

Pour le reste rien ne semble avoir subi de modification dans la pièce, ampoule nue suspendue à son fil au centre du plafond, lit froissé, placard bâillant, impression générale de campement abandonné.

Et les cendres de ce campement refroidissent à toute allure. L'inspecteur Moskowitz a demandé au gardien et à «quelques personnes bien informées des mouvements dans la cité» de le prévenir si Stern réapparaissait. Bien sûr, rien ne prouve que Vito ne soit pas rentré chez lui en pleine nuit puis reparti en pleine nuit. Mais pourquoi ferait-il une chose pareille?

La grosse mouche noire me frôle en piqué, on dirait qu'elle cherche une mort violente, celle-là. Je lui laisse un répit, et même une petite chance de s'en sortir: j'ouvre la moitié coulissante de la fenêtre, histoire d'aérer un peu.

La barre d'en face continue de produire, pour personne en particulier, sa partition aléatoire. Ça me donne l'idée que ma silhouette, se découpant dans le rectangle éclairé de cette fenêtre-ci où elle s'encadre, doit en ce moment, derrière certaines des huit cent quatre-vingt-seize fenêtres d'en face, alerter quelques citoyens vigilants et bien informés des mouvements de la cité. Soucieux de savoir qui je suis et ce que je fabrique là.

Derrière le mur côté lit, on dirait qu'on déménage. On tire des meubles ou on les pousse, des choses lourdes tombent et les gens qui ont entrepris ces travaux de force crient de plus en plus vigoureusement pour se donner du cœur à l'ouvrage. Au bout de quelques minutes le déménagement prend la tournure plus banale à cette heure tardive d'une scène de ménage, rugissements et glapissements dont les protagonistes doivent tout de même, à en juger par l'amplitude sonore, être dotés de coffres impressionnants.

Finalement, ayant suivi la mouche kamikaze dans le coin cuisine, jeté les sachets de thé ourlés de moisissures vert pâle qui traînaient sur la paillasse de l'évier, insulté l'ustensile rouillé impropre à perforer autre chose que le gras de mon pouce, j'ai réussi à ouvrir avec un couteau pointu les boîtes de pois chiches et de thon à l'huile achetées au Kosto. Arrosées d'un verre à moutarde de Famous Grouse (ce que j'ai trouvé de mieux pour remplacer l'Isle of Jura), ces nourritures compactes me recalent un tant soit peu dans l'espace-temps présent.

Je me demande quelle serait la réaction de Vito s'il poussait la porte, là maintenant, et me voyait mon assiette de thon-pois chiches à la main, appuyée contre le rebord de la table. Mon œil à côté de celui de la caméra posée sur son trépied, tout contre la fenêtre.

De l'autre côté du mur la voix glapissante pousse un cri particulièrement strident que suit un bruit de verre cassé cascadant, probable projection d'objet domestique pulvérisant une fenêtre ou, pire, le miroir de la salle de bains. Sept ans de malheur au bas mot.

J'avais commencé par ouvrir la trappe à cassette sur le flanc de la caméra, bien sûr. C'était juste pour vérifier, je savais déjà qu'elle serait vide : les flics avaient nécessairement emporté ce qu'elle pouvait contenir. Ça ne m'avait pas empêchée de constater que, de cet emplacement, la HD panote sans problème la totalité de la dalle, presque toute la façade de la tour et les deux tiers du bâtiment d'en face sur toute sa hauteur. Et que le téléobjectif est réglé en longue focale maximale. Pour ainsi dire en focale fouille-merde.

À l'instant où je repousse la fenêtre, la mouche s'en-fout-la-mort opte en fin de compte pour la vie au grand air et s'envole dans la nuit.

L'exploration du placard ne donne rien de plus intéressant qu'une collection de mouchoirs en papier plus ou moins usagés, quelques pièces de monnaie et trois tickets de métro. Bien sûr la police a sans doute déjà accompli ces gestes avec l'efficacité supérieure des professionnels, doigts ô combien plus habiles, ô combien plus blasés que les miens plongeant quasi invisibles de vélocité dans les poches, école bressonienne, doigts de fées pickpockettes palpant les doublures, tâtonnant sur les étagères derrière les frusques entassées avec si peu d'égards par Vito. Je refais tout de même la scène, en version énervée et brouillonne.

Restent les piles de papiers, journaux, livres, CD et DVD qui prolifèrent un peu partout dans la pièce, en colonies assez confuses autour du lit et contre le mur du fond, plus ordonnées sur la grande table où elles dessinent un vide quadrangulaire délimité en son fond par un moniteur et un lecteur vidéo. Vide qu'occupait sans doute un ordinateur portable équipé du nécessaire pour digitaliser, compresser et monter, peut-être bien aussi un disque dur externe, que les policiers auront également emporté pour en explorer les contenus.

C'est alors que je commets l'erreur de me servir un deuxième verre de Fameuse Grouse. J'en ai les jambes si ramollies que je dois m'asseoir sur la chaise, devant la place vide de l'ordinateur. Rien dans ce que je feuillette maladroitement, en essayant d'éviter des effondrements de piles les unes sur les autres, ne me donne la moindre piste. Un catalogue sur Louise Bourgeois qui m'absorbe un moment, deux films de Vitali Kanevski que j'ai vus et

revus, *Bouge pas, meurs, et ressuscite* et *Une vie indépen-
dante*. Je me rappelle la projection de *Bouge pas, meurs,
et ressuscite* et Kanevski il y a longtemps, à Cannes, son
visage rugueux de vieil enfant, ses yeux durs et joyeux.

Mais je ne suis pas là pour ça. Je suis là pour mitrailler
tous azimuts avec mon grand angle extralucide, déployer
mes capteurs à ultrasons et tout mon fourbi de voyeuse
– je suis là pour faire mon travail de voyeuse et je ne vois
rien.

Si, tout de même, près du bord de la table, deux
piles entièrement dédiées à Spinoza. Deux traductions
de *L'Éthique*, l'une signée Guérinot l'autre Misrahi, une
demi-douzaine d'essais sur le philosophe dont celui de
Deleuze, une biographie en allemand et un gros bouquin
intitulé *Spinoza et son cercle*, d'un certain Koenraad Oege
Meinsma. Bon, j'ignorais cet engouement de Vito pour
Spinoza. Et alors? Cela me rappelle seulement que,
depuis des années, je ne sais pas grand-chose de ce qui
l'intéresse.

Ensuite j'ai dû m'allonger sur le lit défait que j'avais
évité la nuit précédente, avec l'idée de me reposer quelques
minutes. Les voisins s'étaient tus, terrassés par toutes les
années de malheur qu'ils s'étaient promises. Quand je me
réveille sous l'ampoule qui dilapide toujours ses blafards
cent watts, il est quatre heures du matin et j'ai mal au
crâne. Depuis quelque temps, boire un peu trop me pro-

cure assez facilement de cruelles migraines – peut-être suis-je arrivée à l'âge où on met de l'eau dans son whisky.

Tout en ruminant ces nauséeuses pensées sur un mode obnubilatoire, je m'étire et mon bras projeté en arrière heurte une pile de livres que j'entends s'effondrer. Je me retourne sur les coudes.

Un gros volume souple, couverture jaune plastifiée, s'est ouvert dans sa chute. À l'endroit où Vito avait glissé une photo et un DVD dans une enveloppe blanche, vierge de toute indication. Sans doute en guise de marque-page.

Entre les pages 314 et 315 des *Récits de la Kolyma* de Varlam Chalamov.

Il y a une dizaine de jours, ou peu de temps avant sa disparition en tout cas, Vito lisait Chalamov.

J'étudie la photo de celui dont je suppose qu'il est Chalamov – qui ne peut qu'être Chalamov. Des yeux de voyant, une bouche sans lèvres. Au dos de la photo, Stern a écrit : « 1960. Tête de l'"artiste de la pelle". Son visage minéral, aussi gelé que le sol du Maglag. »

Mais je ne reste pas longtemps à contempler ce mystère. Je me lève, tenant le petit disque argenté entre deux doigts, je vais baisser le store métallique de la fenêtre et je pousse le disque dans la fente du lecteur posé sur la table. Quelques secondes de déglutition mécanique plus tard apparaît sur l'écran une image de la cité prise en contre-plongée, depuis le bas de la colline.

Et, en surimpression sur le ciel tourmenté de flatulences nuageuses qui occupe les deux tiers de l'écran, plusieurs sommaires listant des fichiers vidéo.

Le travail de Stern pendant tous ces mois au Fond des Forêts.

Raconter ces fragments de films et ces rushes, les décrire de manière satisfaisante, est bien entendu impossible. Séquences au tempo instable, mêlant, superposant des images et des sons de diverses provenances, procédant par coq-à-l'âne, emballements, ralentis, répétitions, rafales d'images, ce que je regardais contredisait de façon éclatante les soupçons ou les craintes de Guy, Stern essoufflé, au bout du rouleau, plus rien dans le ventre.

J'ai d'abord ouvert « Sans amour », le premier des dix chapitres que comporte un premier ensemble, dont le nom est *Opération Antigone*.

On surplombe la dalle, vraisemblablement de l'endroit où est placée la caméra en ce moment, devant la baie vitrée du studio. Partant de la tour, à l'est, on parcourt lentement du regard le pied de la barre d'en face. Aux trois quarts du trajet, arrêt sur l'entrée G. On resserre le cadre, on fait le point sur une petite bande qui traîne là, six ou sept dadais assis sur les marches ou appuyés contre le mur, immobiles et sombres, on les dirait captifs d'une résine d'ennui. Leur attention semble concentrée sur le seul qui s'agite, trapu, le dos ramassé en boule il parle dans son téléphone et va et vient d'un pas nerveux.

Les bruits de fond environnant la caméra et qui constituaient jusque-là toute la bande-son, tintement de verre, discussion confuse de l'autre côté d'un mur, sont interrompus par la voix vibrante de Stern : « Puisqu'on dit d'eux qu'ils tiennent le mur, on les appellera cariatides. Même si le boulot d'une cariatide n'est pas exactement de contreforter la structure d'un bâtiment, ça ne leur va pas si mal, cariatides. Et puis on ne va tout de même pas les appeler des Sisyphes. »

Pendant ce temps, sur la dalle venteuse, les cariatides continuent de broyer du noir.

Stern fredonne : « Que mon sort est amer... » Puis s'arrête, farfouille quelques secondes, on entend le déclic d'un lecteur qui s'enclenche. Une voix de contralto s'élève, chantant à la suite de Stern mais avec une magnifique ampleur la plus poignante des *Nuits d'été*. « Ma belle amie est morte... Ah ! sans amour s'en aller sur la mer... »

On s'approche encore un peu des cariatides, on distingue les ongles de l'un grattant son crâne presque tondu, le ricanement de l'autre, grand baraqué avachi sur sa marche, au passage d'une jeune fille qui se hâte de traverser la dalle,

sac au dos, retour du lycée,

en surimpression sur les yeux du ricaneur se greffent ceux d'un matou de dessin animé à l'affût,

la fille au sac filant à toute vitesse de ses petites jambes comme le canari dont on entend le zézaiement aigu,

Gros Minet est parti en sasse, ze ferais bien de me dépêsser de rentrer sez moi,

le gros matou ricane de plus belle sous sa capuche,

mais pas sûr, oh de moins en moins sûr que cette fillette baissant la tête sous le déluge de grossièretés éructées par Gros Minet ait le punch du démoniaque canari et, pour tout dire, on est plutôt soulagé de la voir disparaître dans une entrée de la tour

tandis que le trafic humain s'intensifie et que le jour commence à faiblir – lumière basse, rasante de soleil couchant.

Deux autres filles approchent au loin, survêtements ternes et moches mais elles grandes, belles, sûres de leur beauté, marchent lentement, le béton s'efface, les bâtiments crasseux, on est à Rome, on est dans une nuit d'été avec Anita Ekberg fendant l'eau de la fontaine de Trevi,

les filles avancent au ralenti comme Maggie Cheung dans *In the Mood for Love* dont on entend la musique, elles marchent vers les cariatides aussi rêveusement que Maggie descend son escalier sous la pluie chaude de Hong Kong et leurs longues chevelures noires se soulèvent au rythme de leurs pas,

à la place de Gros Minet on aurait les yeux hors de la tête

d'ailleurs il explose en effet, sa bouche s'ouvre, grimace, profère dans un esclaffement général des cariatides,

les deux beautés s'en contrebalancent

d'ailleurs elles roulent des hanches avec une merveilleuse lenteur, on les voit toujours au ralenti tourner à peine la tête le temps de crier quelque chose qu'on n'entend pas bien sûr, la musique du film de Wong Kar-wai submerge tout sauf le regard vainqueur des deux filles,

Gros Minet ratatiné sur sa marche, le nez dans les Nike, les autres se taisent pour ne pas l'enfoncer davantage –

descente aux enfers de Gros Minet.

Et par ses yeux, puisque provisoirement nous sommes ses yeux, ce n'est plus Anita ni Maggie ni même Titi qu'on voit maintenant déambuler mais une vieille grosse pute sans nom, une vieille revêche tapotant de son fouet les cuissardes vernies qui donnent à ses jambes l'aspect d'énormes boudins craquelés.

«Sans amour» s'arrête là, zoom sur les cuissardes de la péripathétique jusqu'au noir complet.

Les autres chapitres d'*Opération Antigone* sont de même nature, explorant d'infimes secrets enfouis – rendant visible ce qu'on est si bien entraîné à ne pas voir.

Dans «À l'assaut du ciel», par exemple, un père et son fils sont assis sur un banc dans l'aire de jeux du Fond des Forêts. Le père, un jeune Chinois, fait apparaître et disparaître une pièce de monnaie entre ses doigts, avec une inusable patience. Et le petit garçon rit aux éclats. Au montage, Stern a incrusté dans la scène des fragments de Charlot avec le Kid, des *Fraises sauvages*, le moment où le vieil Isaak revoit son jeune frère et sa fiancée s'embrassant, de Gloria courant dans les rues de New York avec l'enfant que ses amis mafieux veulent tuer, et j'ai arrêté de regarder.

Un instant j'ai la tentation d'imaginer ce qu'aurait été notre vie, à Stern et à moi, si je n'étais pas tombée du haut des marches de la cinémathèque, si l'enfant était né.

Exercice dangereux, et très inutile.

Donc j'ouvre le premier fichier de la série «Rushes», numérotés de R1 à R28, chaque code étant suivi d'une durée en minutes et d'une date. R1 est daté du 24 octobre, soit de six mois environ, peu après l'arrivée de Stern au Fond des Forêts.

L'œil de la caméra regarde le parvis, plan séquence fixe, image un peu pixellisée, passages du soleil entre deux nuages. C'est le matin, la plupart des gens que Stern filme à leur insu sortent de chez eux, démarche pressée, cou rentré dans les épaules, beaucoup de sacs à dos, cartables, rares mallettes de bureaucrates, ménagères matinales avec caddies.

R2 est du même acabit, plus tard dans la même journée ou dans une autre, pas grand monde sur la dalle, on reconnaît au passage le groupe des cariatides qui se battent les flancs devant l'escalier G, piétinant sur place ou assis sur les marches avant de disparaître dans le hall, on dirait qu'il ne fait pas chaud.

J'en fais défiler en accéléré quelques autres. Parvis, plans fixes, différentes heures du jour et de la nuit. Des gens se croisent, s'ignorent ou se saluent d'un signe de tête ou de main, la bande des cariatides bivouaque sur son escalier, simulacres de bagarres, joints qui tournent. La caméra bouge très peu, des plans fixes de dix minutes, un pano très lent vers une extrémité de la dalle et retour, c'est tout.

Tous les rushes de la série ont à peu près la même durée, environ trente minutes. Des heures de patiente accumulation pour en extraire quelques instants comme celui qui sert de trame à « Sans amour ».

L'adrénaline déclenchée par la découverte du disque refluant peu à peu, je sens monter une nouvelle vague de migraine, une veine enfle et palpite sur ma tempe gauche, je vais refaire du thé très fort, retourner me coucher, je clique sur un dernier fichier pour voir, *per vedere*, le premier chapitre de la troisième grande série, qui s'appelle *Un ange personnel.*

C'est le soir, un grand nombre de fenêtres sont éclairées. L'objectif balaie très lentement la façade d'en face en partant de la tour, sur la gauche. Lentement il bascule vers le bas, ralentit encore quand entrent dans son champ deux rectangles lumineux côte à côte, hésite, continue jusqu'au coin du bâtiment, puis revient en arrière plus rapidement, cette fois s'arrête devant les deux fenêtres, au cinquième étage.

Zoom avant.

À gauche une petite cuisine carrelée de vert pâle, il n'y

a pas de rideaux, deux filles sont assises de part et d'autre d'une table en train de manger et de boire. L'une d'elles est la caissière du Kosto, celle dont je sais qu'elle s'appelle Rhyme depuis que je l'ai vue, hier, se lever de sa caisse pour aller répondre aux questions des flics en civil. L'autre fille a à peu près le même âge, brune aussi, un petit visage pointu, sombre, c'est la première fois que je la vois.

Je me demande si c'est la topologie du lieu, la situation en vis-à-vis des deux barres, le rectangle fermé sur trois côtés, qui a inspiré à Vito cette installation voyeuriste, comme une sorte de *Fenêtre sur cour* de la banlieue parisienne au début du XXIe siècle.

Les deux filles font la vaisselle, puis fument en bavardant. Rhyme bouge peu, l'autre gesticule davantage, elle rit. Ça dure quelques minutes, ensuite elles s'éloignent vers le fond de la cuisine, la lumière s'éteint. La caméra tourne légèrement vers la droite, Rhyme apparaît derrière le voilage de l'autre pièce, silhouette floue, seule.

Lorsque Stern resserre encore le cadrage on la voit nettement déplier un canapé-lit, sortir un oreiller d'un placard, se déshabiller, enfiler une chemise de nuit de couleur claire. Ses gestes sont lents, elle se brosse les cheveux longuement, avec application. Point sur la brosse et la main qui la tient. Des gestes lents mais calmes, débarrassés de cette torpeur irritée qui m'avait frappée quand elle était derrière sa caisse au Kosto. Elle disparaît un moment, revient dans la pièce, se glisse dans les draps. Elle n'éteint pas tout de suite la lumière, le drap bouge de temps en temps, peut-être lit-elle *Voici* ou *Gala* ou un autre de ces magazines qui la passionnent.

J'ai la sensation d'être prise dans un dispositif en abyme, regardant un voyeur, me tenant à son insu derrière Stern pendant qu'il filme tapi dans l'obscurité, comme Ted ou Jeff ou comment s'appelait-il dans *Fenêtre sur cour* matait ses voisins d'en face avec ses jumelles et son volumineux téléobjectif. Mais ce que fait Stern maintenant, Jeff, si c'est bien Jeff, ne l'aurait sûrement pas fait. Il se serait plutôt endormi.

Après que Rhyme a éteint la lumière il continue de filmer, de nouveau très lent pano silencieux sur la barre dans sa longueur, un peu moins de rectangles lumineux, quelques bruits lointains par-dessus la rumeur de la quatre voies, puis retour et arrêt sur la fenêtre obscure de la jeune caissière. Rectangle noir sur fond inqualifiable, ni gris ni mauve, l'œil ne bouge plus, plus rien ne se passe comme pour dire je suis parti – la caméra tourne toute seule, c'est une machine qui regarde, un regard machinique – pas lui Vito, il n'est plus là.

Un temps assez long, je n'arrive pas à décrocher. Le sang bat moins fort à ma tempe gauche. Soudain la voix de Stern me fait sursauter comme s'il parlait par-dessus mon épaule. Sa voix sonore et vibrante, une voix si juvénile, s'étonne toujours Guy avec un brin de moquerie envieuse.

«Aujourd'hui j'ai demandé à Rhyme d'où vient son prénom. Sa grand-mère, la mère de son père, s'appelait comme ça. Ça veut dire gazelle en arabe. Ils sont kabyles, viennent d'un bled près de Bou-Saada. On s'est arrêtés là : à toute question sur sa famille elle répond de manière évasive et gênée. »

C'est tout, la voix s'évanouit. Sur l'écran rien ne bouge, l'image reste abandonnée à la caméra qui ne réagit plus.

Je fais défiler le reste en avance rapide. À un moment le rectangle de la fenêtre de Rhyme s'éclaire de nouveau, puis celui, vert pâle, de la cuisine, Rhyme boit à même le robinet, éteint, se recouche, éteint encore, tout ça en accéléré dure moins de trente secondes – peut-être Stern s'était-il pour de bon endormi.

Je me suis rallongée sur le matelas, les draps sont imprégnés de son odeur. Je la respire en collant mon nez sur l'oreiller, elle ajoute à la confusion d'avoir découvert ces rushes, d'avoir entendu la voix de Stern se parlant à lui-même, filmant cette fille en cachette, la désirant, rêvant d'elle dans ces draps, faisant l'amour avec elle dans ces draps ? Même en inspirant profondément je ne perçois pas d'autre odeur humaine que celle de Stern. Odeur qui me propulse dix ans en arrière, au moment où il a cessé d'être l'homme de ma vie.

J'avais perdu l'enfant et je ne pourrais plus jamais être enceinte. Ma haine contre Vito était ma meilleure chance de m'en sortir. Je l'accusais de m'avoir sortie de mon milieu de pauvres ploucs provinciaux à une époque où aimer une jeune rustaude était à la fois audacieux, excitant et éminemment vertueux. Puis de m'avoir préféré, comme tout naturellement l'y incitaient ses origines – banque d'affaires mais rouge, nomenklatura culturelle tchèque –, d'autres femmes plus harmonieuses dont le tissu culturel était indemne de ces irrémédiables trous que je ne pourrai jamais que camoufler ou afficher. Dont je ne serai jamais quitte.

Vito parlait peu, essuyait les coups avec une douceur navrée, ravalait les paroles de réconfort qui renforçaient ma haine, préparait un départ urgent pour je ne sais plus où.

Voilà ce que, cette nuit-là, j'ai remâché une fois de trop. Mais j'étais, il est vrai, passablement fatiguée.

Quand je me suis réveillée le soleil brillait sur le Fond des Forêts. Je décidai de traîner un peu sur la dalle, et pour commencer de retourner voir le gardien dont j'avais jusque-là trouvé la loge fermée, lui demander s'il avait du courrier en souffrance pour Stern.

Comme j'arrivais près de la tour, j'entendis siffler dans mon dos un impérieux «Bonjour!» qui s'enroula autour de moi, ne me laissant d'autre choix que de me retourner.

Elle traversait la dalle en diagonale, traînant derrière elle un panier à provisions monté sur roulettes, et levait la main, paume levée, pour que je l'attende. Me voyant arrêtée sur ma trajectoire, elle sourit largement et prit tout son temps pour parcourir les trois ou quatre mètres qui nous séparaient.

Une petite femme au corps trapu, cheveux gris coupés court.

Et plus elle s'approche plus son sourire me semble

artificiel, et même ahurissant de fausseté. Plutôt qu'un sourire, en fait, c'est un mouvement de la bouche qui étire les lèvres comme pour montrer les dents et qui, au lieu d'éclairer son visage ridé, produit un effet inquiétant, extrêmement pénible à regarder. On dirait qu'elle singe une expression dont elle a oublié le sens.

Elle s'arrête devant moi, un peu trop près. Elle respire fort.

— Il faut que je vous parle, me souffle-t-elle d'une voix entrecoupée, confidentielle.

La main tendue.

Jetant des coups d'œil à droite et à gauche.

Elle ne lâche pas ma main. Mon envie de fuite devient quasi irrépressible, mais il y a quelque chose de si caricatural chez cette bonne femme que c'en devient intrigant. Et je souris à mon tour, peut-être vais-je apprendre quelque chose. Au moins je peux sourire aussi faux que je veux.

Toujours les dents au premier plan, mal plantées, éclats de métal argenté au fond de la bouche, niveau prémolaires. Mâchoire carnassière, regard instable sous les paupières tombantes et fripées, gabardine beige et chaussons de feutre – cohérence du marron laineux des chaussons et du beige tergal avec le poil gris fer de sa petite frange bouclée.

— Viviane Montastruc. Une ancienne de la résidence,

m'annonce-t-elle en levant le menton avec ce qu'il faut d'autodérision.

Elle se rapproche encore un peu, à m'envelopper dans son haleine aigre. Le bout de son nez pointu brille.

Je suis obligée de tirer pour récupérer ma main.

— Rose Cardenal.

— Oui oui, me dit-elle impatiemment. La photographe.

Je hoche prudemment la tête.

— Vous êtes sa femme, ajoute-t-elle en baissant la voix.

Ça devient comique. Je n'ai jamais été autant « sa femme » que depuis qu'il a disparu.

— Vous connaissez Vito ?

— Bien sûr. Vous savez, j'avais... je veux dire j'ai de la sympathie pour cet homme. Normal. Si vous saviez ce que c'est devenu ici, cette...

Elle s'interrompt et m'observe, sa tête grise penchée sur le côté.

— ... cette *jungle*. Mais on ne peut pas comprendre ça de l'extérieur. Avec M. Stern, votre mari, on était, comment dire... quand on se croisait...

Pauvre Vito. Je les imagine jouant à cache-cache, elle le guettant pour tailler une bavette, lui fonçant sur la dalle pour essayer de l'éviter.

— ... il y a encore des gens à qui ça arrive, vous savez.

— À qui quoi arrive ?

— Il y a encore des gens à qui il arrive de se parler, m'as-sène-t-elle avec son sourire d'acier.

Elle hoche la tête l'air complice, ça y est on est copines, sœurs en civilisation, quand on était petites on a gardé ensemble les cochons d'un monde perdu.

Mais je ne dois pas faire la tête qu'il faut. Son front se plisse, elle s'interroge très fort en m'examinant toujours, finit par me glisser comme malgré elle :

— Écoutez, depuis trente ans que je vis ici je n'ai jamais vu une histoire aussi bizarre.

— Vous voulez dire...

— Cette disparition. Oui. Bien sûr.

On ouvre la bouche toutes les deux en même temps, elle s'apprête à tout m'expliquer, maintenant qu'elle me sent à sa main. Bêtement, je la coupe dans son élan pour lui demander si elle aurait entendu parler de deux jeunes, on les aurait vus avec mon...

Une lueur de pitié fuse de ses pupilles délavées.

— Je vous l'ai dit, je suis une ancienne, ici. Je connais tout le monde.

Et elle entreprend le récit complet de son arrivée au Fond des Forêts en 1974, l'année du deuxième choc pétrolier, les bâtiments tout neufs, une population mixte, équilibrée, on avait mis un moment à comprendre que c'était la fin d'une époque. Il y avait une fête de la cité une fois par an, chacun apportait un plat de son pays d'origine, une dizaine de nationalités, on s'entraidait. S'il y a quelqu'un qu'on ne peut soupçonner de racisme c'est moi, une vieille coco, j'ai toujours ma carte du Parti, mais qu'est-ce que vous voulez aujourd'hui on reste à deux Françaises de souche ici et la deuxième est née à la Guadeloupe. Les ghettos de pauvres c'est trop dur, même pour ceux qui ont encore des convictions.

J'ai la tête qui tourne mais j'ai compris, je n'entrouvre même pas la bouche. Elle est intarissable, elle adore cet instant, son regard me couve avec une calme sévérité. Je redoute une bifurcation vers les mesures à prendre pour réguler l'immigration sauvage ou la question des retraites, mais le plaisir de commérer finit par l'emporter.

— La police les a arrêtés hier soir, lâche-t-elle sans transition. Ils sont en garde à vue.

Celui qui s'appelle Moussa Djhone, elle épelle le nom, D-j-h-o-n-e, elle l'a eu comme élève.

Parce que Viviane Montastruc, professeur de français au collège Tristan-Tzara, a consacré toute sa vie aux enfants du quartier, elle les a vus grandir depuis le berceau ou, plus justement pour la plupart d'entre eux, depuis le pagne dans lequel leur mère les trimbalait collés à son dos. Moussa Djhone, donc, était un gentil garçon, taciturne, réservé, presque timide mais intelligent, mais bon élève, on le voyait parti pour un bac S ou quelque chose de ce niveau. Un de ceux qui laissent espérer que l'école de la République remplit toujours son office d'ascenseur social, quoi que puissent en dire les Cassandres de tous bords. Et je dois reconnaître que s'il était particulièrement doué Moussa n'était pas un cas isolé, précise Viviane en reniflant. Beaucoup d'entre eux ne demandent que ça, avoir un vrai boulot, une vie tranquille, fonder une famille.

– Et puis il y a quelques années, dit-elle, quelque chose s'est produit. Moussa a changé du tout au tout. Il s'est acoquiné avec la bande des voyous d'ici. Leur (gloussement mi-sarcastique mi-dégoûté de Viviane) spécialité, c'est les pièces détachées, ils volent des voitures et les désossent. Il y a des caves par-là (elle oriente son nez humide dans la direction des immeubles qui encerclent le pied de la colline), ce sont de vrais garages avec pièces et main-d'œuvre. Le petit Djhone a été condamné pour ce genre de trafics, il est sorti de Fleury il n'y a pas longtemps, quelques semaines. C'est désespérant. Il vit avec sa mère et sa petite sœur. Pas de père à l'horizon. Et par-dessus le marché la mère est malade du cœur, elle a eu un malaise quand il a été arrêté.

«Pauvre femme, poursuit Viviane en regardant vers les fenêtres d'un appartement au premier étage de l'escalier D, pas loin de là où nous sommes.

Mes yeux restent fixés sur ce qu'elle vient, malgré elle, de me désigner.

– C'est ici qu'ils habitent?

Elle incline la tête vers son épaule sans répondre, souriant d'un air énigmatique.

– Enfin, ajoute-t-elle doucement, la police est venue me voir, je leur ai dit tout ce que je sais.

Cette prédilection pour l'oblique, le détour, son style fouille-merde, la gabardine flottante : je lui trouve quelque chose de l'inspecteur Columbo. Et cette idée me donne le recul nécessaire pour encaisser la véritable Viviane, qui est tout de même nettement moins marrante que Peter Falk.

– Et qu'est-ce que vous savez, alors?

– Des quantités de petites choses, susurre-t-elle. Des quantités.

Cette femme est une cannibale. Et toutes ses mines de bonne dame de la cité cachent mal son féroce appétit. Je sens que pour la faire parler il suffirait de quelques confidences, vraies ou fausses, qui lui donneraient la sensation de me grignoter, disons un ou deux petits doigts pour commencer.

– Bon, lui dis-je. Merci beaucoup. Je vais y aller, là.

– Bien sûr, grince-t-elle. Mais faites attention à vous, hein?

J'esquisse un grognement approbateur aussi distant que possible, et un pas de côté.

— Si je peux me permettre, vous feriez mieux de rentrer chez vous. Laissez faire la police. Je comprends, bien sûr, vous croyez qu'on va vous parler, qu'on va vous faire des confidences, vous apprendre des choses sur ce pauvre M. Stern?

Elle continue sur ce mode en m'observant tandis que je me décompose sous l'effet de ma propre bêtise. Je suis sa pauvre petite, je n'ai aucune idée, personne ne me dira rien, mais alors rien de rien... Elle-même, Viviane, qui est là depuis toujours... Si vous les regardez dans les yeux, ils disent que vous les provoquez, ils vous agressent... Tenez voyez cette personne là-bas...

Elle me montre, à l'autre bout du parvis, une silhouette pyramidale en survêtement et dont, à cette distance, il m'est difficile de déterminer le sexe.

— Madame Jean-Joseph, c'est d'elle que je vous parlais, la dernière ancienne d'ici, avec moi. Ça tombe à pic, je vais vous présenter. Elle vous racontera, comment c'est.

Mme Jean-Joseph se dirige vers nous en chaloupant de tout son corps bizarre, plutôt frêle et étiré dans sa partie supérieure et s'évasant vers le bas en jarre à huile, elle agite la main.

— Et justement c'est elle, se réjouit Viviane, toutes dents dehors. C'est elle qui a vu les deux lascars sortir avec M. Stern, elle va vous raconter ça. La pauvre femme, depuis elle ne ferme quasiment plus l'œil, vous comprenez? Déjà qu'elle s'effrayait vite… Maintenant elle est persuadée que les autres jeunes vont lui faire son compte, pour venger leurs copains.

Sybille Jean-Joseph m'a raconté tout ce qu'elle avait vu, c'est-à-dire pas grand-chose, mais ça a duré un bon moment. Elle parlait en avalant les *r* et en palpant machinalement les médailles et la grosse croix d'or rose torsadé qui formaient une petite grappe au creux de son décolleté. J'ai compris qu'elle habite au dixième étage, dans la même barre que Stern mais côté aire de jeux, un studio où elle vit seule. Viviane s'est montrée étonnamment mutique durant tout son récit, se contentant de hochements de tête indignés.

Cette nuit-là, donc, Mme Jean-Joseph avait entendu du barouf provenant de la barre d'en face, elle ne savait pas trop d'où cela sortait précisément mais c'était assez bruyant pour l'avoir réveillée et comme, effrayée, elle ne parvenait pas à se rendormir, elle s'était levée et installée devant sa fenêtre, dans le fauteuil à bascule où elle regardait la télé et brodait des nappes et des chemises de nuit

pour un magasin parisien, elle faisait ça depuis des
années parce que sa retraite, une retraite d'aide-soignante
échelon 4, ne lui permettait pas d'acheter du bifteck,
même dans la tranche, plus d'une fois par semaine, pour
vous donner une idée.

Quand elle avait vu le trio sortir de l'escalier F ils se
déplaçaient si confusément, se heurtant, se tenant par les
épaules puis se repoussant en parlant fort, qu'elle avait
attrapé les jumelles dont elle se servait habituellement
pour observer les oiseaux, migrateurs ou autochtones,
qui selon elle peuplent abondamment le ciel au-dessus
du Fond des Forêts. Symphorien, son petit-neveu, lui
avait offert ces jumelles ultrapuissantes pour se faire par-
donner de ne plus jamais venir la voir, c'était son seul
parent à Paris, tout le monde était mort ou vivait trop
loin sauf Symphorien, qui avait une bonne place à la
RATP, mais même lui ne se dérangeait plus qu'une fois
vers Noël et c'était précisément à Noël dernier qu'il les
lui avait offertes et là au moins il ne s'était pas moqué de
sa vieille tante, c'étaient des jumelles de chasseur qui lui
permettaient de voir même les taches sur les ailes des
grèbes huppés, ses préférés, et avec lesquelles on pouvait
aussi voir la nuit, grâce aux infrarouges. C'est pour ça
qu'elle pouvait être si sûre, elle n'avait pas bien compris
comment c'était possible mais avec ces rayons on voyait
comme en plein jour et elle les avait reconnus formelle-

ment tous les trois, le monsieur qui était arrivé à l'automne dernier et les deux loustics, le fils de Mme Djhone et son ami, celui qui se baladait toujours avec un instrument de musique dans une boîte rigide en bandoulière, mais pas cette nuit-là ils étaient complètement, ils étaient incapables de marcher droit, les deux jeunes encadraient ce monsieur, oui, ils se tenaient et s'accrochaient les uns aux autres par moments, mais c'étaient toujours les deux jeunes qui encadraient le monsieur, ça l'avait frappée surtout à cause de la différence d'âge, en général ceux qui boivent préfèrent boire avec des gens de leur âge.

Elle avait raconté tout ça à la police quand Mme Montastruc avait sonné chez elle avec l'inspecteur dans son dos et aujourd'hui elle regrette, non elle ne regrette pas, il faut toujours dire la vérité mais c'est toujours pareil après on se retrouve tout seul, la police ça va ça vient il paraît qu'ils ont arrêté les deux jeunes mais les autres, la bande, ils sont toujours dehors pas vrai ?

À part une certaine gêne qu'elle n'a pu dissimuler quand elle s'est décrite, les jumelles à infrarouges sur le nez, lorgnant les trois ivrognes qui faisaient du tapage au milieu de la dalle en pleine nuit, Sybille me fait l'effet d'une personne peu douée pour la dissimulation et l'empoisonnement des esprits, à la différence de Viviane (mais que sais-je, en réalité, de l'une et de l'autre ?). Chacune m'extorque la promesse de passer la voir, et je me dis qu'acquiescer ne coûte pas grand-chose.

Je me dis aussi que c'est là une pensée plutôt mesquine. Après tout, j'ai récolté en une matinée pas mal de renseignements précieux, et c'est à la pipelette nature de Viviane-Columbo que je le dois. Grâce à elle, je commence à avoir une petite idée de ce qui a pu se passer dans la première partie de cette nuit-là, j'imagine Stern avec ses deux acolytes, Stern qui n'a jamais reculé devant une bonne cuite, Stern qui est capable quand il a un coup dans le nez des pitreries les plus baroques, je les vois descendre la pente vers la Potence, chacun une canette de bière à la main, arriver en bas, s'engueuler peut-être comme des ivrognes peuvent le faire, et puis?

La loge du gardien est toujours fermée.

Je passe devant un petit groupe de cariatides. En apparence aucun d'eux ne me dévisage, ils me tournent plutôt le dos mais j'ai tout de même la sensation d'être une bête de réforme égarée dans un comice agricole.

– Oh madame, aboie une grosse voix derrière une capuche, tu cherches quoi?

L'un d'eux fait trois pas à côté de moi, la tête penchée comme pour me flairer. Puis s'arrête. Et dans mon dos je l'entends rapporter aux autres que j'ai l'air plutôt bonne pour une huitième âge.

En temps normal je les aurais insultés. Là, je me contente de secouer la tête en souriant, m'appliquant à ne pas presser le pas.

Je n'ai pas très envie de remonter tout de suite dans l'appartement déserté par Vito, ni de continuer à explorer le contenu du disque découvert dans le Chalamov. Depuis que j'ai visionné l'interminable plan fixe nocturne sur les fenêtres de la jeune caissière du Kosto, je devine que c'est elle la piste à suivre, elle avec qui je dois parler maintenant.

En passant sous les fenêtres de Moussa Djhone et de sa famille, je bifurque vers l'entrée de l'escalier D.

Sans réfléchir, comme lorsque l'œil, instantanément et au millimètre près, découpe un cadre dans ce qu'il voit.

Je ne peux pas parler à Djhone, mais sa mère, elle, est peut-être là.

C'est au premier étage. Comme au A où habite Slimane, l'interphone ne fonctionne pas et la porte du hall est ouverte. La peinture granuleuse de la cage d'escalier cloque et s'écaille, surtout dans la zone lie-de-vin qui s'interrompt à mi-hauteur pour laisser place à un beige mastoc. Au-dessous du bouton de sonnette de la porte de droite, sur le palier du premier étage, le nom de «Awa Djhone» est soigneusement calligraphié sur un petit carton gris.

J'attends cinq bonnes minutes, l'oreille tendue, presque collée à la porte. Le son d'une émission de radio ou de télévision laisse supposer que quelqu'un se trouve dans l'appartement, mais quand je sonne personne ne répond. J'ai sorti le Nikon de mon sac et je m'apprête à raconter une histoire de reportage sur la cité. Je suis une journaliste qui frappe aux portes à la recherche d'habitants qui accepteraient d'être photographiés chez eux, dans leur intérieur.

Finalement, après mon troisième coup de sonnette, un bruit lointain de chasse d'eau, puis des pas lents et pesants s'approchent.

Ses yeux sont tristes, un peu troubles, un peu ailleurs tandis qu'elle me regarde, très grande dans un kimono en coton imprimé de losanges jaunes et violets, serré à la taille par une ceinture qui fait ressortir ses hanches et ses seins opulents. Le kimono se soulève au rythme de sa respiration oppressée.

— Entrez, me dit-elle avant que j'aie eu le temps d'ouvrir la bouche. Mme Ba m'a prévenue, ajoute-t-elle en reculant dans le petit couloir sombre.

Je rougis en passant devant elle.

Sa voix au timbre aigre-doux un peu éraillé, la beauté fatiguée de son visage ovale, ses cheveux lissés en arrière et attachés en chignon sur la nuque, tout ça me fait penser à Billie Holiday. Sa démarche aussi, nonchalante, et son long bras tendu pour me désigner, dans la petite salle de séjour surchauffée, un fauteuil recouvert d'une couverture écossaise.

— Vous êtes bien madame Djhone? dis-je, autant pour ne pas rester muette que pour prolonger le quiproquo quelques instants.

Elle acquiesce d'un hochement de tête, sans sourire,

mais il n'y a pas trace d'animosité sur son visage quand elle me répond :

— Je vous attendais cet après-midi mais c'est pas gênant. J'ai rien à faire d'autre qu'attendre, vous savez.

Ce disant, elle s'assied lourdement en face de moi, dans un clic-clac fleuri qui s'incurve en son milieu. Malgré la chaleur qui règne dans la pièce, elle s'enveloppe dans un châle beige et marron orné des deux C entrelacés de la marque Chanel, le genre qu'on achète sur les trottoirs de Barbès, entre Tati et le marché Saint-Pierre.

Je transpire. Mme Djhone vient seulement de repérer le Reflex pendant à mon cou et le regarde d'un air vaguement intrigué. J'essaie de paraître exaspérée par ma propre distraction et je renfourne l'appareil dans mon sac :

— Il était cassé. Je l'ai donné à réparer.

Ça suffit à éteindre la faible lueur de suspicion qui naissait dans ses yeux.

— Mme Ba s'occupait bien de nous. Elle doit être contente de pouvoir se reposer.

Il est temps de lui avouer que je ne suis pas l'envoyée de Mme Ba, que j'ignore tout de Mme Ba et des raisons qu'on peut avoir de la regretter.

Mais je suis stoppée dans mon élan par une intuition subite, puis, aussitôt après, par le désir de la vérifier : Mme Ba est probablement une employée de la mairie ou d'un quelconque organisme social et elle vient de prendre sa retraite, et moi je suis, ou plutôt la personne qu'attend Awa Djhone est la remplaçante de Mme Ba.

— Je suis juste venue prendre contact, dis-je un peu effarée de m'entendre passer à l'acte, jusque-là je n'ai jamais donné dans l'usurpation d'identité.

J'ignore si ça peut aller comme formule, mais encore une fois Awa Djhone ne manifeste qu'un intérêt très relatif, et une grande tolérance, pour ma présence et ce que je peux raconter. Peut-être est-elle simplement contente d'avoir une visite.

Les rideaux sont aux trois quarts tirés, ne laissant pénétrer qu'une mince bande de lumière blanche qui éclaire violemment l'angle nord de la pièce. Sinon, la pénombre est chahutée par la clarté mouvante de la télévision – un téléfilm visiblement américain, dont Mme Djhone baisse un peu, très peu, le son. Puis elle repose la télécommande sur un tabouret métallique installé à portée de sa main et sur lequel sont disposés un gobelet de plastique et un petit flacon de verre marron avec un bouchon compte-gouttes.

— Je dois me reposer, dit-elle.

Elle se cale dans le fond du clic-clac, son torse se soulève toujours péniblement comme s'il s'efforçait de se débarrasser d'un carcan qui l'enserre. Je me rappelle ce que m'a raconté Columbo Montastruc sur sa maladie de cœur.

— Justement, dis-je. Comment va la santé ?

Elle chasse d'un geste cette question inutile, soupire, enchaîne sur le seul sujet qui l'intéresse :

— Vous êtes au courant pour cet homme qui a disparu, et mon fils qu'on a arrêté, pas vrai ?

J'ouvre la bouche, hésitant encore sur ce que je vais dire. Mais la question de Mme Djhone n'en est pas une, elle continue de parler comme si en définitive peu lui importait ce que je sais (ou même qui je suis).

— Moussa n'a pas fait de mal à cet homme-là, poursuit sa voix lasse. Je ne sais pas ce qui s'est passé la nuit, je dormais. Je prends des médicaments qui me font dormir. Mais il me l'a dit, et mon fils ne me ment pas.

Je hoche la tête et, comme les bruits stridents d'une scène de carambolage — crissement de pneus, tôles arrachées, litanie de klaxons — nous parviennent de la télé, je fais semblant d'être happée par le spectacle.

Elle s'interrompt, je sens que ses yeux aux pupilles troubles me fixent, peut-être se demande-t-elle si ça vaut le coup de continuer.

Un instant on regarde toutes les deux, à l'écran, une autoroute envahie par des ambulances, gyrophares, sirènes hurlantes, sur fond de gratte-ciel. Puis Awa reprend le monologue qui, à travers la nouvelle assistante sociale que je prétends être, s'adresse à des puissances qu'elle semble avoir peu d'espoir de convaincre :

— Depuis qu'il est sorti de prison il est redevenu comme avant. Il cherche du travail. Il m'a dit qu'il allait en chercher et je sais que c'est vrai. Il a eu une mauvaise histoire avec une fille, une Blanche. Après il s'est mis avec les voyous d'en bas mais c'est fini. Il a dit qu'il allait s'occuper de nous.

Chacune de ses phrases est prononcée sur le même tempo, lent au démarrage, puis s'emballant un peu dans une tonalité plus haute avant de chuter raide sur la fin. Quand elle s'arrête, je lui dis que je la crois. J'ai dû lui paraître sincère parce qu'elle relève un peu la tête et me sourit.

Ensuite, pendant une minute ou deux, Awa Djhone et moi nous intéressons à la suite du téléfilm. Un père de famille aux abois (on lit une profonde douleur dans le bleu faïence de ses yeux mais ses cheveux blonds et sa chemisette à carreaux restent impeccables) prépare des œufs au plat pour deux enfants, également blonds et proprets, en les pressant d'un : «Allez allez, dépêchez-vous un peu, départ pour l'église dans une heure.»

Je regarde Awa à la dérobée. Mon silence ne paraît pas la gêner et son calme m'impressionne. Il est peut-être en partie artificiel, camisole chimique de ses médicaments pour le cœur, mais j'ai aussi le sentiment qu'elle mobilise toutes ses forces pour plaider la défense de son fils. Je lui demande s'il est né en France.

Cette fois elle a vraiment l'air surprise.

Elle doit se dire que comme assistante sociale je ne vaux pas Mme Ba. Ou que peut-être j'ai décidé de la faire parler plutôt que de lire son dossier, par paresse ou pour vérifier certaines choses. Je suis peut-être du genre suspicieux et j'essaie de repérer si elle n'essaie pas de me mentir. Et après tout elle s'en fout. Comme elle me l'a dit, elle n'a rien à faire qu'attendre – et se dispose à me débiter quelques tranches de sa vie avec une résignation distraite.

Ses deux enfants sont nés en France. Moussa en 1988 et Alima, sa fille, en 1992. Quand Moussa est né elle avait dix-huit ans (donc elle en a trente-sept, quinze de moins que moi), le père de ses enfants, un cousin éloigné, était venu la chercher dans son village, au nord du Mali, et l'avait amenée à Paris. Elle ne savait pas, dit-elle, qu'il avait déjà une femme ici, et deux enfants. Ils vivaient tous à Montreuil dans un F3.

– J'étais la deuxième, l'autre ne voulait pas de moi. On se bagarrait tout le temps. Un jour j'avais du travail dans un magasin, je m'étais levée très tôt pour prendre ma douche. Elle est arrivée dans la salle de bains et m'a jeté du piment dans les yeux. On s'est battues si fort que la police est venue. J'étais toute nue, je voyais plus rien.

– Elle voulait vous empêcher de travailler ?

Les lèvres d'Awa se tordent de dégoût.

— Non, elle voulait que je m'en aille. Tous les jours on se battait. Ça aurait fini par un meurtre alors je suis partie. Après j'ai réussi à avoir la carte d'un an et je suis venue ici.

J'essaie d'imaginer Awa se crêpant le chignon avec sa coépouse et j'en conclus qu'elle a dû beaucoup changer en quinze ou vingt ans.

— Avec vos deux enfants.

— Non. Alima est née après.

On se regarde. Je n'ai aucune idée de ce que serait censée dire une assistante sociale à ce moment du récit d'Awa, donc je me tais. Elle tourne la tête vers la télévision où l'on voit le père de famille de la scène précédente entrer dans une chambre et se diriger vers une femme blonde couchée sur un lit, les yeux dans le vague. Ensuite elle reprend, le visage toujours tourné vers l'écran :

— Leur papa venait nous voir. Il vivait avec l'autre mais il venait me voir.

L'homme blond enlace maintenant la femme blonde, ils ne parlent pas, la douleur crispe leurs visages.

— Après, poursuit Awa, il est allé en chercher une troisième et il n'est plus venu que pour les enfants, de temps en temps. Il s'occupait pas bien de moi, alors ça m'a pas fait une grosse différence.

— Oui, dis-je sans réfléchir, la question qui se pose c'est

de savoir s'ils sont vraiment nécessaires. Comme mal, je veux dire.

La bouche un peu ouverte, Awa m'examine. Puis elle souffle bruyamment.

— Vous n'êtes pas la nouvelle assistante sociale, conclut-elle.

Elle s'est redressée sur le clic-clac pour me délivrer ce constat, dépourvu d'agressivité mais n'appelant aucune discussion.

Je me sens rougir tandis que je lui réponds :

— Non, madame, c'est vrai. Je ne sais pas pourquoi, vous...

Awa secoue la tête lentement, de gauche à droite, en rajustant son châle autour de ses épaules.

— Vous n'êtes pas l'assistante sociale, répète-t-elle.

— Je suis une amie de cet homme qui a disparu. J'essaie de comprendre ce qui lui est arrivé.

Je me sens soulagée, en définitive.

— Mon fils ne lui a pas fait de mal. Il ne lui a rien fait.

Elle ferme les yeux.

— J'espère que vous avez raison, dis-je.

Ses paupières restent closes.

— Qu'est-ce qui s'est passé, cette nuit-là ? Il vous l'a dit, votre fils ?

Même si je trouvais quelque chose de mieux à dire,

Awa ne veut plus parler. Je me lève, je m'approche d'elle et lui effleure la main. Elle ne bouge pas, elle attend que je parte.

Je referme la porte en essayant de faire le moins de bruit possible.

Je suis remontée chez Stern. Je n'avais plus aucune énergie pour rien, ni pour aller à Paris ni même jusqu'au Kosto.

J'ai regardé un moment par la fenêtre sans rien remarquer d'intéressant, puis je me suis fait un sandwich que j'ai mangé en visionnant «Le Radeau», un autre chapitre d'*Opération Antigone*.

À la voir comme ça, sur l'écran, l'entrée de la gare du RER me paraît presque familière.

Caméra à l'épaule. Chat sur l'épaule, disaient les premiers vidéastes. À bonne distance, prêt à s'enfuir avec son butin.

Brouhaha de rue, sirène de police auxquels viennent se mêler par intermittence des bribes de discours politiques. On entend répétés les mots misère, toute la misère du monde, on ne peut pas accueillir toute la misère du monde,

pendant que devant la gare trois jeunes hommes sont

poussés contre un mur par six policiers dont deux femmes,

les mots politiques fluent et refluent, tantôt presque inaudibles tantôt amplifiés, réverbérés comme par des haut-parleurs surplombant une immense place du Peuple, vocation à quitter vocation à quitter à quitter le territoire.

Un gradé aux cheveux gris téléphone. Lève le menton.

Chacun des trois autres policiers mâles se dirige vers un des hors-la-loi, lui intime l'ordre de vider ses poches. Mains en l'air, palpation rapide,

voix de shérif midwestien en surimpression sonore *drop your guns* tandis qu'on voit fugacement sur l'écran *and raise your hands in the air* un type à carrure de boxeur délester de leurs armes qui tombent bruyamment au sol trois hommes en costume croisé, identiquement acculés contre un mur.

L'image se resserre sur le visage sombre d'un des palpés du RER, capture la prunelle noire de son œil qui regarde vers nous, empli d'une tristesse vague qui pourrait aussi bien être de l'ennui. On ne voit plus que l'œil, toute la prunelle avec le trou noir de l'iris,

tunnel par où s'engouffre dans un hurlant fracas l'image d'un train, puis d'un autocar bondé, grappes de passagers entassés jusque sur le toit avec les caisses et les paquets

les voix reviennent, Frontex dispositif européen de sur-
veillance des frontières extérieures, vocation à quitter
    vocation à ne pas emmerder le monde, articule lente-
ment la voix vibrante de Stern
    et, zoom arrière, les deux femmes en uniforme déplient,
lisent, relisent, se passent et se repassent une feuille de
papier extraite d'une poche hors-la-loi,
    vocation à ne pas emmerder le monde avec leur misère
du monde,
    image éphémère, presque subliminale du *Radeau de la
Méduse*
    puis de groupes humains entassés dans des dortoirs,
femmes au visage brûlé par le soleil en robe longue, fou-
lard sur la tête, une coiffe d'Alsacienne, torse tatoué d'un
homme aux yeux pâles – Ellis Island?
    Les trois hors-la-loi bougent le moins possible, on
entend la voix de Nomi *Let me let me let me let me
freeze / again / to death*
    comme si ne pas bouger leur donnait une chance de
devenir invisibles
    tandis que l'intérieur luxueux du wagon des *cattle
barons* de *La Porte du paradis* se superpose à la scène, des
ordres sont donnés, une liste est faite de ceux qu'il faut
éliminer, ces rustres affamés qui nous volent notre bétail
    et assez minuscules pour disparaître dans une fissure du
mur

absurde, non, alors que sans eux rien de tout cela n'existerait, ni l'effervescence policière ni l'attroupement muet, à bonne distance que lentement recouvre sur l'écran un feu de camp dans la nuit, des silhouettes accroupies autour et derrière le désert, au-dessus des accroupis des étincelles rejoignent les étoiles, dès que j'aurai réussi à sortir d'ici je repartirai, dit l'un d'eux, de toute manière si dure qu'elle est la vie d'étranger ça peut pas être pire qu'ici.

Le chapitre suivant, «Dans la caverne», est aussi filmé caméra à l'épaule. Le faisceau d'une lampe torche se balance dans la pénombre, son rond de lumière explore un sol de ciment, des murs tagués, PAP NEG FUCK LA BAC BIZZ BEZ MATTAMORS, des portes en bois à claire-voie, des serrures fracturées. La voix de Stern explique qu'il est dans les sous-sols de la cité des Mattes, territoire de Neg, «un type assez patibulaire» qui dirige le commerce de pièces détachées, «sans doute une pointure dans sa spécialité». Il les a vus partir vers Paris, en profite pour faire une petite visite, le pinceau lumineux se promène sur des carcasses de moto, des roues de voiture empilées, des monceaux d'enjoliveurs, rétroviseurs, batteries et autres morceaux de ferraille que je suis incapable d'identifier, un éparpillement de banquettes, cartons, couvertures, canettes, Stern ouvre des portes comme Lemmy Caution dans *Alphaville*, sauf qu'ici on voit sur quoi elles ouvrent, un idiot qui joue du banjo, une chambre de motel où une femme est attachée sur un lit, la cérémonie secrète et meurtrière d'*Eyes Wide Shut*, la silhouette titubante de Nadia dans *Rocco et ses frères*, le frère de Rocco vient de la violer, elle se relève, le manteau souillé de boue, marche arrière elle retombe, se relève, dix fois Stern la fait retomber dans la boue et se relever.

J'ai dû m'assoupir devant l'écran. J'ai été réveillée, ou bien était-ce en rêve, par des coups sourds frappés sur la porte du studio. Suivis d'une phrase incompréhensible, la même répétée deux fois, ou plutôt vociférée deux fois.

La nuit était tombée pendant que je dormais, ciel d'un noir bleuté très dense, brillant et velouté, absolument pas parisien. La barre d'en face, éclairée par la pleine lune, luisait doucement comme une grosse banquise, un éperon de glace. J'étais à des milliers de kilomètres de Paris.

Je me suis approchée silencieusement de la porte, j'y ai collé mon oreille. Le couloir était parfaitement silencieux. J'ai ouvert, rien, noir absolu, pas même une veilleuse au-dessus de l'accès à l'escalier. Quand j'étais remontée le plafonnier du palier y dispensait encore un éclairage incertain et plutôt lugubre.

Ma montre indiquait onze heures quarante.

Puis l'ascenseur s'est ouvert, comme une boîte de Pandore crachant son onde de terreur. Lâchant, dans le rai de lumière blanche, ces guignols à taille humaine qui vocifèrent et se contorsionnent. C'était si fulgurant, si éblouissant que j'ai hurlé.

Ce qui les amuse encore davantage.

Ils ne sont que quatre mais leurs gros rires et leur parler rapide et leurs sautillements saccadés, inquiétants dans leur puérilité même, m'affolent. Le plus grand se détache du bloc, jambes écartées, bras théâtralement tendus, un pistolet braqué sur moi.

J'ai fini par comprendre ce qu'il m'aboyait.

– Toi t'as une pancarte. Demain tu t'casses ou j'te troue.

Abaissant le pistolet à hauteur de mon estomac.

J'ai reculé dans le studio et claqué la porte avec une fureur dont elle a tremblé.

Juste après les rires ont reflué dans la cabine, shuntés sec par les portes se refermant.

Je suis restée cinq minutes sans bouger, appuyée contre le battant de la porte, jusqu'à ce que s'arrête le bruit de marteau hydraulique qui battait jusque dans la plante de mes pieds.

Et j'ai eu faim.

Tout mon corps était raide, durci par la peur et la rage, et j'avais faim. J'ai avalé sans respirer le contenu d'une boîte de sardines, avec les arêtes, tout en m'efforçant vainement de distinguer les frontières du territoire où je m'étais engagée à l'aveuglette.

Je n'avais bien sûr rien vu de leurs visages enfouis sous les capuches, qu'à peine entraperçu, dans la bande lumineuse projetée par l'ascenseur, un petit diamant scintillant au creux de la narine noire et charnue de celui qui semblait être leur chef.

En retournant près de la baie vitrée, j'ai constaté que les fenêtres de la fille, de Rhyme, étaient maintenant allumées. Elles le sont restées quelques minutes sans que personne traverse leur champ lumineux, puis sont redevenues, parmi des centaines d'autres, deux rectangles sombres découpés dans la grande muraille luisant sous la lune.

Ensuite j'ai fait défiler d'autres chapitres de la série *Un ange personnel.* Il y en avait une vingtaine, dont les dates s'échelonnaient entre la mi-décembre et la fin mars.

Sur une feuille de papier je notais le nom du fichier, ce qu'il contenait, «Ange 4, pano barre, plan fixe fenêtres Rhyme, elle dîne seule, pano barre + tour, 38 mn», «Ange 8, matin, Rhyme danse branchée à son iPod, pas possible qu'elle ne lève jamais les yeux, qu'elle ne sente pas l'œil de la caméra sur elle, 25 mn».

C'était incroyablement répétitif et en même temps la série baignait dans une hyperbanalité oppressante. À cause de cette répétitivité même sans doute et aussi, comprenais-je peu à peu, à cause des mouvements de la caméra, lente et songeuse, hésitant puis accélérant brusquement, qui en faisaient le personnage principal, capricieux, envahissant, omniprésent, de chaque séquence. Car jamais, bien que l'image soit parfois assez nette pour qu'on voie la poubelle au fond de la cuisine de Rhyme comme si on était assis à côté d'elle en train de fumer une cigarette, jamais la caméra ne laissait oublier que c'était d'elle-même que parlait cette histoire.

En Ange 11, d'ailleurs Stern rompait le silence habituel, la faisait pivoter à cent quatre-vingt-dix degrés, gros plan flou sur sa figure déformée par la longue focale, énormité des fosses nasales en contre-plongée, déclarait d'une voix grommeleuse : « Ce soir, *final cut*. Ça suffit, j'arrête. »

Ange 12 et les Anges suivants le prouvaient, ce n'était qu'une déclaration d'ivrogne.

Stern espérait-il épuiser, comme Monet à la fenêtre de sa chambre d'hôtel face à la cathédrale de Rouen, tous les effets de la lumière à toutes les heures de la nuit et à toutes les heures du jour sur ce bâtiment dont la vilenie forcenée était à peine effleurée par les images classiques, cage à lapins, boîte à sardines ? Était-il épris de cette fille à la manière obsessionnelle d'un pitoyable demi-vieux ? Ou ces rushes étaient-ils une réserve de matériaux, l'ébauche d'un autre scénario, progressant parallèlement à celui d'*Opération Antigone* ?

Au milieu d'Ange 17, comme s'il me répondait, j'entendis de nouveau sa voix. Il marmonnait, je comprenais mal, vie faite de riens… répétition de riens… mais putain quel ennui, comment vivre ça, vivre pour ça, toute cette vie sans vie ? Sans révolte, ou perdue, invisible… sans amertume… gaiement, comme elle souvent…

C'était tout.

En fait, tout ça m'assommait, m'épuisait.

Je me suis entendue gémir.

Je me sentais vidée, grotesque. Honteuse d'avoir eu peur et d'avoir été incapable de le cacher aux guignols que cela réjouissait tant. Mais aussi, davantage encore peut-être, honteuse de mesurer le ridicule de mon entreprise. Sa prétention. Sa laideur. Pour une fois, j'entendais le mot voyeuse comme tout le monde l'entend et j'avais honte. L'acerbe Viviane Montastruc avait raison. À supposer que je découvre quelque indice qui aurait échappé à la police, que pourrais-je en faire dans un milieu si étranger, si hostile, où j'étais aussi discrète et bienvenue que la grosse mouche noire que j'avais presque tuée la veille ?

Je me suis couchée sur le lit qui n'avait déjà plus la même odeur, la mienne en chassait peu à peu celle de Vito.

C'était ma troisième nuit dans cette pièce.

Un chien a hurlé un moment, je me suis demandé si c'était celui de Slimane Bentottal. Puis, alors que je m'endormais, les voisins ont repris leur engueulade au point où ils l'avaient laissée.

Cette nuit-là dans mes rêves, Awa chantait des chansons tristes à l'entrée d'un troquet fait de planches grises comme j'en avais vu beaucoup au Sénégal. J'étais là, assise sur un tabouret, j'écoutais sa voix voilée un peu acide chanter en wolof la rengaine d'un film que je connaissais, dont je m'efforçais en vain de retrouver le titre.

La sonnerie de mon portable m'a réveillée alors qu'il faisait grand jour dans le studio. Je réussis à mettre la main dessus au moment où il s'arrêtait de sonner. Pas de message. J'ai consulté la liste des appels, qui me renseigna d'un machinal : numéro inconnu.

Puis j'ai appelé Guy et je lui ai chanté l'air que chantait Awa dans mon rêve. Il a commencé par m'insulter parce qu'il n'était que huit heures du matin mais il savait, bien sûr. C'était la musique d'*Une aussi longue absence,* un film d'Henri Colpi avec Georges Wilson et Alida Valli.

— Tu es encore là-bas ?

Mon silence lui inspire quelques grattements de gorge, puis un soupir morose.

Pour faire ce qu'il a décidé de faire de son passage sur terre — filmer les autres —, pour prêter son regard à des gens et des lieux que personne ne regarde, m'enseigne Guy d'une voix de moins en moins pâteuse, pour extirper le mystère de la plus terne banalité, Stern doit ne s'attacher à rien, vivre en monstre d'égoïsme, préserver sa liberté comme la chose la plus précieuse.

Difficile de savoir ce qu'il choisit là-dedans, c'est peut-être juste une coïncidence ou un effet de cette manie du secret qu'on lui reproche tant, pérore Guy qui donne l'impression d'être absolument sincère tout en s'écoutant parler, mais tu vois la vie de Stern on pourrait presque dire que c'est une sorte de sacerdoce, mais oui sans blague, une forme de sainteté...

Le gloussement qui m'échappe ne l'arrête pas.

Bref, il n'y a pas vraiment de vie pour Stern sans une caméra vissée à la place de l'œil. Et on n'aime pas vraiment une femme avec une caméra, m'assène Guy débordant d'inutile grandiloquence – on est Dziga Vertov, une machine en perpétuel mouvement qui traverse les foules à toute vitesse et décolle avec les aéroplanes, ou bien on est Mark Lewis, *Le Voyeur* de Michael Powell, qui les aime tellement, les femmes, qu'il les filme pendant qu'il les tue.

– Je ne vois pas le rapport, dis-je.

Encore incertaine de la conduite à tenir, obtempérer prudemment aux menaces des guignols ou les ignorer, j'allais prendre une douche quand un coup de sonnette m'a fait sursauter. Un coup bref. J'ai pensé bêtement que je n'avais pas remarqué de sonnette. Puis on s'est mis à farfouiller dans la serrure. Je me suis figée, et je cherchais quelque chose d'un peu solide à empoigner quand la porte s'est ouverte.

Sur l'inspecteur Moskowitz. Glissant dans sa poche ce qui doit être un passe. Vêtu d'un imper marron glacé à col de cuir chocolat, ouvert sur une chemise d'un mauve pas du tout flic.

Nous nous dévisageons, je ne sais pas lequel des deux est le plus surpris. Les oreilles si pâles de l'inspecteur virent lentement au cramoisi. Je vois le sang y affluer et flamboyer, pratiquement comme on verrait dans un verre monter le niveau d'un rutilant beaujolais, et de là se répandre sous la peau des joues en plaques disgracieuses.

— Entrez, finis-je par lui suggérer.

Son regard me contourne, papillonne du côté de la table et de la bouteille de whisky, frôle le lit défait dans un battement de paupières, effleure sournoisement la chemise masculine dont je suis vêtue, mes jambes et mes pieds nus.

D'une voix presque calme, je lui propose une tasse de thé.

— Vous aviez une clé? me répond-il.

Il y a dans son regard quelque chose comme de la stupeur, ou peut-être du dégoût. Ou de la colère?

— Comme vous pouvez le constater, dis-je sèchement. J'ai une clé. Et vous ?

— Bien, biaise Moskowitz, bien bien. Vous avez dormi ici ?

Je lui souris avec hauteur.

— Et j'allais prendre une douche.

— Bien, répète-t-il. Je comprends très bien. Je repasserai plus tard. Rien... de très précis pour l'instant. Quelques petites choses à vérifier.

Me rappelant les révélations de Viviane Montastruc et de Sybille Jean-Joseph sur les deux jeunes mis en garde à vue, je l'interroge :

— Avez-vous du nouveau, inspecteur ?

Moskowitz ne fait plus mine de partir — ce qui m'arrange, je ne voudrais pas qu'il s'en aille avant d'avoir décidé si je vais lui parler de l'opération Guignols de la nuit dernière et de la découverte du disque vidéo —, mais il ne me répond pas pour autant.

Il se dirige vers la fenêtre, se poste à côté de la caméra et, jambes légèrement écartées, bras croisés dans le dos, pointe son nez vers l'étroit bandeau de ciel visible, actuellement d'un bleu dur, dans la posture classique de celui qui cherche de l'aide ou de l'inspiration à l'étage supérieur.

Puisqu'il m'offre son dos à contempler, cela me laisse quelque répit pour réfléchir à ce que je devrais lui donner en échange. Ses oreilles dont je ne vois plus que les ourlets sont toujours d'un cramoisi soutenu. De même que sa nuque qui se redresse lentement avant de décrire un double arc de cercle me signifiant qu'il balaie des yeux le paysage, de la tour à gauche jusqu'à l'extrémité opposée de la barre et retour, puis se déploie, assez souplement, en direction du parvis. Comme tout le monde dans ce studio semble irrésistiblement appelé à le faire, l'inspecteur mate par la fenêtre.

— L'ordinateur de votre mari (un « votre mari » à peine narquois) contient de nombreux films réalisés ici même, avec cette caméra, dit-il en collant son œil à l'œilleton. D'un côté c'est très monotone, il ne se passe rien pendant des heures. Mais on voit aussi tout ce qui se passe là en bas, les allées et venues, les bandes du coin.

Il a pivoté sur les talons, la tête tournée vers le moniteur.

— Vous a-t-il parlé des raisons qu'il avait de filmer cet endroit?

— Non, dis-je, non je ne crois pas.

Moskowitz incline le buste vers la table, appuie ses deux mains de chaque côté du lecteur vidéo, les bras en V inversé. Il fixe un point situé entre ma figure et l'ampoule qui pend au plafond.

— On voit des deals se conclure, tout un tas de trafics. On enquête de ce côté-là. Ça ne devait pas leur plaire tellement que leurs mouvements soient épiés comme ça.

Évidemment. Si les dealers étaient au courant que Stern les filmait depuis la fenêtre de son studio, ça pourrait être une piste. Ou les désosseurs de voitures des Mattes, s'ils savaient que Vito s'est baladé dans leur antre avec sa caméra.

Tandis que je me demande à laquelle de ces bandes appartiennent ceux qui m'ont menacée la nuit dernière, je me rends compte que sans le vouloir depuis un moment je regarde fixement le lecteur vidéo. Comme si d'une secousse un peu brusque l'inspecteur pouvait le remettre en marche et découvrir ce que contiennent ses tripes plates et grises. Je fais glisser mon regard de manière aussi fluide que possible vers Moskowitz qui vient de dire quelque chose, les yeux toujours braqués sur l'endroit où se trouverait mon auréole si j'étais une sainte.

— Je disais, répète-t-il, M. Stern vous a-t-il parlé d'une bande avec qui il aurait été lié? des jeunes, des délinquants?

— Non. Pas du tout.

Il examine maintenant les vidéogrammes, attentivement, l'un après l'autre. S'attarde longuement sur le visage de Rhyme. Je l'entends qui se marmonne quelque chose à mi-voix. Un balbutiement rêveur d'où émerge le nom, clairement articulé, de Pasolini.

— Vous parlez de Pasolini le cinéaste?

L'inspecteur se retourne en hochant la tête.

— Oui, Pasolini, me répond-il les yeux perdus dans le vague. Je n'aime pas beaucoup ses films, mais c'était quelqu'un.

Décidément, quel être bizarre que ce poulaga.

— Quelqu'un qui allait se fourrer là où il ne fallait pas? Quelqu'un qui en est mort? C'est à ça que vous pensez?

Il hausse les épaules.

— M. Stern, me questionne-t-il en retour, ne vous parle pas beaucoup de son travail, il me semble?

— Pas comme ça, pas quand il est dedans. Après ça lui arrive. Mais de toute façon c'est quelqu'un qui n'aime pas parler, il préfère faire.

Il se racle la gorge et reboutonne son imper à col de cuir. Son regard s'enhardit à croiser le mien, tout en restant très flou, très nuageux. Il me demande pourquoi j'ai dormi ici, dans ce studio, et si j'ai l'intention d'y rester longtemps.

Je lui dis la pure vérité: je n'en sais rien.

Je m'attends vaguement à ce qu'il m'enjoigne lui aussi de quitter les lieux. Mais il n'en fait rien. Peut-être juge-t-il pour l'instant plus intéressant de me laisser évoluer comme je l'entends.

Au moment où je referme la porte, j'enregistre une autre particularité anatomique de Moskowitz, qui m'avait échappé jusque-là: ses cils sont inexistants, ou alors transparents, ce qui accentue la nudité de ses yeux. Peut-être y a-t-il un lien avec l'instabilité de son regard, sa tendance à la fuite? Un tropisme d'origine somme toute pileuse?

Et puis je me suis vue dans la glace de la petite salle de bains et là, j'ai compris le problème de l'inspecteur. La Gorgone du Caravage, en plus déglinguée, paupières bouffies maculées de rimmel écrasé, teint blafard, me dévisageait avec un rictus d'effroi.

Une demi-heure plus tard je me faisais un peu moins peur. Je m'étais lavée, démaquillée et, désembrouillant les serpents qui sifflaient autour de ma tête, brossé les cheveux que j'avais attachés avec la cordelette jaune de la boîte à thé.

Puis j'ai boutonné mon imper jusqu'au col et je suis repartie à travers zone jusqu'au Kosto. Sur le trajet, j'ai aperçu quatre femmes qui marchaient de front sur une sorte de large coulée d'herbe très verte. Toutes les quatre en boubou et turban assorti, deux avec bébé empagné dans le dos, tirant des sacs à roulettes pleins, lourds, qui cahotaient sur le terrain inégal.

Et tandis que ma main plongeait dans mon sac, je me suis revue posant le Reflex sur la table du studio.

J'ai trouvé Rhyme derrière une caisse, son jeune visage absent et fermé comme la dernière fois. Cerné par un bandeau de tissu élastique orange qui soulignait l'ovale de son front bombé et l'arrondi de ses joues. Une enfant.

Difficile de l'imaginer liée aux petites terreurs de la nuit précédente.

Munie de quelques aliments solides et liquides attrapés un peu au hasard, je me suis dirigée vers sa caisse. Vu la tête qu'elle faisait et l'ennui qui engourdissait chacun de ses gestes, elle n'avait aucune chance d'être élue caissière de l'année. Comme ses yeux restaient baissés la plupart du temps, je me suis demandé si elle avait encore un magazine sur les genoux.

Pendant qu'elle faisait défiler les codes-barres devant le rayon laser je lui ai dit qu'on devait se parler. Que j'habitais chez Vito Stern, que j'avais vu des films de lui dont elle était le sujet, dont vous êtes le sujet principal et je n'en ai pas encore parlé à la police mais il faut qu'on se parle.

Elle m'a lancé un regard franchement hostile. La partie inférieure de son front, entre les sourcils et au-dessus, s'est creusée de petites vagues qui lui donnaient l'air encore plus jeune. Elle m'a rendu la monnaie sans répondre.

Je suis restée devant la caisse sans bouger pendant que la femme qui était derrière moi soupirait bruyamment. Son caddie m'a cogné les fesses. Je me suis retournée, c'était une grosse décolorée avec des racines noires de trois ou quatre centimètres. Je lui ai adressé un sourire placide et j'ai répété :

– Rhyme, il faut qu'on se parle.

En l'appelant par son prénom, pour lui dire : on n'est pas forcément des ennemies.

Elle n'a pas pu empêcher sa tête de pivoter en direction du bureau vitré au bout de la rangée de caisses. J'ai vu le même type que la dernière fois, celui dont on voyait le bosselage du crâne tant ses cheveux étaient coupés court. Il nous observait derrière les coquelicots sérigraphiés sur la vitre.

Les yeux de Rhyme étaient noirs, de colère sans doute, ou d'agacement. Mais j'ai eu aussi l'impression qu'elle avait peur.

Je me suis rappelé Matthieu le contremaître, chez Pantex. Lui aussi avait une coupe de cheveux militaire, une espèce de tapis-brosse dru et ras. Les quelques mois que j'y avais travaillé avant la grève, sa manie de nous coincer dans les vestiaires, moi et les autres nouvelles, son gibier captif. Quand il avait bu un coup de trop il nous menaçait d'avertissements, de mises à pied parce qu'on le repoussait comme on repousse n'importe quel sac de bidoche, petit chef ou pas petit chef. Matthieu nous inspirait de la colère ou du mépris. Il ne nous impressionnait pas, ou plus à ce moment-là, en tout cas.

Rhyme, elle, semblait avoir peur.

Derrière moi dans la file ça piétinait, ça grognait et soufflait. J'ai reçu un nouveau coup de caddie dans les fesses. Quelqu'un a posé brutalement quelque chose de très lourd sur le tapis roulant.

J'ai attrapé mes sacs en disant à la caissière :

— Venez au studio ce soir. Je vous attendrai.

Elle ne m'a pas répondu. Elle regardait devant elle comme si je n'existais pas, comme si elle allait effacer mes paroles en m'effaçant de sa vue.

Je suis passée devant la cage vitrée en souriant au tapis-brosse, qui m'a ignorée lui aussi. Sans doute les coquelicots sérigraphiés étaient-ils censés le rendre invisible.

Je n'avais plus besoin de demander mon chemin à personne.

Parvenue à la grande coulée verte tapissée d'une herbe irrésistiblement veloutée où j'avais, à l'aller, vu avancer de front les quatre femmes en boubou, je m'y engage sans réfléchir. Le tapis d'herbe se révèle à l'usage un peu spongieux et glissant, mais il fait beau, presque doux, mes chaussures sont imperméables et je décide d'ignorer cette légère déception.

Des avions tracent dans l'air des traînées blanches qui s'estompent lentement. L'une d'elles, encore très nette, plonge de manière bizarre, dessinant une inquiétante ligne quasi verticale dans le bleu du ciel tout au fond de l'allée, à plus d'un kilomètre. Je suis absolument seule, pas âme qui vive à portée de voix.

Et c'est précisément à ce moment-là que je les entends. Un chuchotement, des bruits de pas derrière moi, sur ma gauche, trop ténus ou trop lointains pour que je puisse évaluer leur nombre et la distance qui nous sépare. Et l'allée d'herbe est encaissée entre deux talus assez hauts et raides pour m'empêcher de voir de l'autre côté des haies épineuses qui les bordent.

Les bruits deviennent plus forts. Je me retourne, ne vois qu'un oiseau noir, corneille ou corbeau, s'envoler d'un buisson.

Maintenant ils ne se soucient plus de chuchoter, ils rient fort, cassent des branches en traversant la haie. Et je les vois apparaître au-dessus de moi. Ils dévalent la pente souplement, mains dans les poches, ventre creusé, freinant avec les talons. Celui du milieu, le plus massif et le plus vieux, a un petit diamant incrusté dans la narine gauche.

La nuit dernière il paraissait plus grand, plus maigre. Mais c'est lui, c'est sa narine, son diamant, et c'est lui le chef. Il s'approche, encadré par les deux autres qui ricanent. Il doit avoir vingt-cinq ou vingt-huit ans, ses deux mignons dix-huit au plus. Autant celui qui vient se planter à ma droite est maigrichon, nerveux, boutonneux, autant l'autre l'est en effet, mignon. Crâne rasé, visage rond très doux, une certaine grâce adolescente qu'il neutralise en grondant comme un rottweiler.

Il s'approche de moi. M'assure que je n'ai aucune raison d'avoir les foies, en tout cas aucune raison d'avoir les foies d'être violée, ricane-t-il avec une grimace qui réjouit les autres.

Je le contourne, je repars sur l'herbe mouillée. Le petit nerveux boutonneux me bloque, me saisit le poignet. Ses doigts sont lisses et durs comme une pince d'acier, il me tord le bras.

— Keskalala daronne, grogne-t-il, a kiffe pas les zébron ?

En tirant pour me dégager je glisse sur une plaque de boue. Je tombe, la boue amortit le choc. L'homme au diamant se tient à quelques pas, jambes écartées, mains dans les poches. Il regarde. Il a une sorte de petit bouc très fin qu'on ne distingue pas tout de suite, une ligne de poils maniaquement dessinée en travers du menton qui me tracasse plus que tout le reste.

C'est bien tout ce que j'ai le temps de remarquer, d'ailleurs.

Le mignon m'arrache mon sac, m'envoie une gifle qui me renfonce dans la boue quand je tente, ô combien stupidement, de résister. L'autre, le petit nerveux, est passé derrière moi, il m'attrape par les cheveux et tire, fort, pendant que le mignon tend mon sac au chef.

Ils en commentent le contenu dans leur langue rapide, je ne comprends pas grand-chose sinon que je n'ai vraiment pas beaucoup de liasse pour une vieille biatch.

— On t'a déjà dit d'te casser, vocifère le mignon en articulant beaucoup plus lentement. Tu sais pas l'français ?

Ton Jacky c'est un gros ouf et on sait pas où il est, on y a rien fait, c'bâtard.

Il ponctue son texte de coups de pied, qui sont d'une pointure plus que respectable et je les vois de très près, ses pieds, même si je suis tentée de fermer les yeux à chaque nouveau coup, au moins du cinquante je dirais et luxueusement chaussés de cuir noir.

— Probab' qu'y s'pécho une aut' schnek à c't'heure.

J'en suis encore à me demander s'il vaut mieux fermer les yeux ou les ouvrir, ça m'occupe et ça m'aide à ne pas crier, ne pas desserrer les lèvres me semble important, me semble être ce que je peux faire de mieux dans la situation présente, quand l'homme au diamant fait un signe.

Le mignon repose son pied considérable dans la boue, l'autre lâche mes cheveux.

L'homme au diamant empoche le contenu de mon porte-monnaie, balance mon sac dans les épineux et s'approche jusqu'à ce que sa grosse tête surplombe la mienne.

— J'le r'dirai pas. Si j'te r'vois, t'es bonne pour la vidange.

Quand j'ai rouvert les yeux ils étaient déjà loin, chahutant comme des gamins sur l'herbe verte. Et quand j'ai réussi à me redresser puis à me mettre debout, le silence était revenu.

Tout au fond là-bas la traînée blanche qui plongeait en piqué vers le sol avait disparu, effacée par le vent.

C'est le même jour que l'inspecteur a perdu sa voix.

Je me déplaçais si lentement dans le studio que j'eus peur de mettre trop tard la main sur le portable que j'avais par chance oublié sur la table avant de sortir.

J'étais rentrée péniblement, couverte de boue, contusionnée, frigorifiée, mettant toute mon énergie à marcher le plus normalement possible lorsque je croisais quelqu'un. Une douche bouillante, un thé encore plus bouillant arrosé de whisky m'avaient un peu remis les idées en place, mais les ecchymoses qui mâchuraient mes côtes et mes bras commençaient à bleuir.

J'entendis une sorte de murmure hurlé, inidentifiable, qui me gratouillait le tympan. J'ai d'abord pensé que mon portable captait mal, puis que quelqu'un à qui on avait coupé les cordes vocales voulait me communiquer de toute urgence quelque chose de primordial.

Finalement j'ai compris que c'était l'inspecteur, aphone,

fiévreux – il dut me répéter trois fois son nom et les mots
« extinction de voix » avant que je les comprenne.

À part ça, il y avait du nouveau. Du nouveau qui
supposait que je ne bouge pas de là où je me trouvais
– quand je lui annonçai que j'étais encore dans le studio
de Stern j'entendis vibrer dans son silence une réproba-
tion que seul retenait le souci d'économiser ses dernières
ressources vocales pour les choses sérieuses.

– Attendez-moi, interprétai-je. J'arrive.

Pour passer le temps, j'ai remis en marche le DVD et
ouvert ce document qui s'appelle *Ruzyne* et dont l'icône
est calée tout en bas à droite de l'écran, disposition qui,
depuis le début, m'intrigue. Comme si Stern avait voulu
l'isoler des autres rushes ou fragments de films.

C'est du noir et blanc. Les griffures qui rayent l'image,
l'instabilité de sa luminosité, le son qui craque – du jazz
époque free plutôt couinant et grinçant –, tout ça me fait
penser à un tournage avec une caméra genre super-8 et
un éclairage de fortune, c'est-à-dire datant de pas mal
d'années.

Disons les années 70, à en juger par les cheveux longs
et les vêtements, pull à col roulé, pantalon pattes d'eph,
de l'homme qui pendant plusieurs minutes occupe seul
l'écran. On le voit de dos. Il est allongé sur un bat-flanc

dans une pièce nue, sans fenêtre, faiblement éclairée par un plafonnier grillagé. Sa tête est tournée vers le mur. Il est immobile, à part sa main qui se déplace sur la surface sale et écaillée du mur, dans une sorte de reptation rêveuse.

Un bruit de serrure grince dans un solo de contrebasse. La porte s'ouvre sur un petit homme en uniforme, casquette plate tombant à ras des sourcils, maintenue au-dessus des yeux par ses seules oreilles décollées, énormes relativement au reste du corps. Gros plan et éclairage violent sur ses lèvres articulant un ordre qu'on n'entend pas, puis sur sa main, énorme elle aussi, tenant un trousseau de clés. L'homme couché se retourne, son visage jeune, ombré de fatigue et d'une barbe de plusieurs jours, pourrait être celui d'un étudiant. Il s'assied lentement sur le bat-flanc, parle en regardant le gardien, il semble poser une question mais on n'entend toujours que la musique, drums saxo alto, contre-champ sur la bouche méprisante du nabot, qui reste close. Puis le jeune homme se lève. La grosse main se referme sur son bras, le petit gardien le conduit à travers un dédale de couloirs souterrains déserts. Arrivé devant une porte de bois plein il lève le poing, frappe, pousse le prisonnier dans le dos et, toujours sans ouvrir la bouche, referme la porte. Dans la pièce carrelée de blanc du sol au plafond comme une salle de bains, un autre personnage en uniforme est assis derrière une table de bois brut, un dossier ouvert devant lui.

Éclairage blanc, éblouissant.

L'étudiant, debout devant la table, cligne des yeux.

L'homme assis lève brièvement la tête, son visage lisse est d'autant moins expressif qu'il porte des lunettes aux verres trop épais pour qu'on distingue son regard. Il repique du nez vers le dossier, ses lèvres remuent – sur un carton noir apparaît en lettres blanches la question qu'il pose à l'étudiant : « Es-tu prêt maintenant à reconnaître tes crimes ? » Le jeune homme répond en se redressant, lettres blanches sur carton noir : « Certainement pas. Je me bats contre ceux qui occupent mon pays, ce n'est pas un crime. » L'interrogatoire se poursuit, visages en champ / contre-champ tranchés noir / blanc par un éclairage expressionniste à la Pabst. Les délits dont est accusé le détenu, que je décide d'appeler l'étudiant, ne sont jamais précisément énoncés. Il est question de complot déjoué, de retour à l'ordre, du pays sauvé par les peuples frères.

L'étudiant est ramené dans sa cellule. Il reste assis un moment sur la couchette, les yeux perdus dans le vague, puis enlève une de ses chaussures et en extrait une petite photo cachée dans la doublure. Le portrait d'une jeune fille blonde au regard timide, qu'il regarde longuement.

Pendant l'interrogatoire suivant, l'instructeur, toujours

impassible, sort du dossier une photo de l'étudiant marchant dans une rue noire de monde à côté d'un homme plus âgé, un bel homme à l'élégance négligée. Non, articulent avec force les lèvres de l'étudiant, à plusieurs reprises. L'instructeur perd son calme, ou feint de le perdre. Une certaine outrance dans les torsions colériques de ses traits évoque un jeu, un caprice de psychopathe. Il se lève, agite la photo sous le nez de son prisonnier en vociférant. L'étudiant le regarde en souriant, croise les bras. Parle, lui ordonne l'instructeur. C'est ton professeur, ton ami. Si tu ne le dénonces pas tu resteras ici jusqu'à ce que tout le monde ait oublié ton existence.

Lettres blanches sur carton noir, explosion stridente des cymbales saxo clarinette.

L'étudiant tient bon. Il se tait ou répète toujours la même chose, je me bats contre l'occupation de mon pays, je n'ai rien d'autre à dire.

Puis les interrogatoires cessent. La musique se tait, on n'entend plus que des bruits de clés, de pas, puis plus rien du tout. Les seuls êtres vivants qui entrent dans la pièce sont les rats et les gardiens qui lui apportent à manger et qui, en dehors de quelques ordres brefs (on comprend : debout, déshabille-toi, face au mur), ne lui adressent jamais la parole et ne répondent jamais à ses questions. La nuit, du moins on suppose que c'est la nuit bien que rien ne l'assure puisqu'on ne voit pas la lumière du jour, la nuit fréquemment ils le réveillent pour fouiller la couchette, ses vêtements, lui faire nettoyer la cellule ou vider la tinette.

On le voit, amaigri, parler tout seul en longeant les murs crasseux. À un moment il s'arrête de tourner et pour la première fois, dans le silence capitonné de feutre, on entend sa voix. Très gros plan cadré sur ses lèvres, d'une voix abasourdie il chante une chanson, une triste et belle chanson, dans une langue que je ne connais pas.

J'en étais là de *Ruzyne* quand la sonnette a retenti. Je me suis dépêchée d'arrêter le film avant d'aller ouvrir.

L'inspecteur est un peu plus compréhensible qu'au téléphone, même si sa diction est embarrassée par une pastille à l'eucalyptus qu'il suce avec des mouvements de déglutition atrocement pénibles, semble-t-il.

Logiquement je devrais lui raconter au moins le raid dont je viens d'être victime. Et je m'apprête à le faire, non sans hésitation car j'ai bien l'intention de décider moi-même du jour où je quitterai le Fond des Forêts et ce jour, de mon point de vue, n'est pas encore venu, mais enfin je vais très probablement me décider à parler quand l'inspecteur de lui-même m'offre un répit, ou prolonge mon indécision.

Me regardant un peu en coin mais sans répulsion

flagrante, il est en train de me raconter qu'un homme s'est dénoncé comme ayant agressé Vito.

– Cet homme est le grand-père d'une jeune fille du coin, coasse-t-il.

J'ai dû laisser échapper un tressaillement, ou ses facultés de résonance nerveuse sont aiguisées par son état. Depuis qu'il a prononcé les mots «jeune fille du coin», ses yeux larmoyants sont braqués sur moi, aussi vitreux que ceux d'un lapin, dont il a aussi les cils raides et rares.

– Il aurait rencontré M. Stern là où on a trouvé les traces de lutte et la chaussure. Ils se seraient bagarrés. Il dit qu'il voulait faire peur à votre mari qui flirtait avec sa petite-fille.

L'emploi de ce mot adolescent, «flirter», me paraît tout sauf innocent. L'inspecteur joue-t-il à celui qui s'efforce d'atténuer une révélation pénible, la liaison de «mon mari» avec une «jeune fille du coin»? Pour me provoquer? me faire sortir de mes gonds, m'amener à lui faire des révélations? sur mes relations véritables avec celui qu'il ne rate pas une occasion d'appeler «votre mari» avec cette petite grimace narquoise?

– Cet homme, continue l'inspecteur, prétend que votre mari était ivre. Il l'a menacé verbalement, des coups ont été échangés. M. Stern serait tombé et, incapable de se relever, se serait endormi sur place.

Une quinte de toux l'interrompt. Avec ou sans pastilles,

c'est sûr qu'il va se rompre les cordes vocales s'il continue à les rudoyer comme ça.

— Il l'a laissé par terre là où M. Bentottal l'a vu par la suite. À cuver sa cuite, selon ses propres termes.

— Et après ?

— Il est rentré chez lui. Pour lui ça s'arrête là, il prétend ne rien savoir de plus.

Ai-je entendu parler d'un flirt — il y tient — entre M. Stern et une jeune fille de la cité, ou d'un conflit avec ce vieil homme qui s'est dénoncé ? Une jeune fille qui habiterait dans l'immeuble d'en face ?

Je me contente d'une moue qui pourrait aussi bien indiquer une dénégation qu'un effort de réflexion.

— Il faut savoir que justement, poursuit Moskowitz en croquant sa pastille, que justement cette jeune fille est venue nous voir peu avant son grand-père, pour nous parler de deux individus qui ont été vus plus tôt dans la même nuit avec votre mari, et que nous avons mis en garde à vue. Elle voulait nous assurer que ces deux-là ont passé la nuit chez elle. L'un d'eux, je peux vous le dire (et les yeux sans cils plongent dans les miens avec une neutralité apparemment toute bienveillante), l'un d'eux est un petit caïd qui sort de taule. Ce qui fait que ça donne à penser, ces témoignages spontanés qui pleuvent. Et tous ces gens qui ne dorment pas la nuit.

C'est alors qu'une quinte de toux le secoue pendant

une bonne minute, évoluant en râles déchirants lorsqu'il commence à manquer sérieusement d'air.

Il ne refuse pas le verre d'eau que je lui tends. Accepte même la chaise que je pousse vers lui et m'en remercie d'un regard ému. Quand, de nouveau, il respire à peu près normalement, je lui demande si cela signifie que le grand-père est arrêté.

— En garde à vue aussi, expulse la gorge douloureuse de l'inspecteur.

— Et les deux jeunes que vous avez arrêtés ?

— Ça, c'est autre chose, crachote-t-il. On sera peut-être obligés de les laisser sortir demain matin, ça dépendra du procureur. Ça dépend surtout de certains résultats qu'on attend.

— Des résultats ?

Moskowitz repousse d'une main ma dernière question. Il se lève, défripe son imper, se redresse comme une pivoine qu'on vient d'arroser, annonce qu'il doit s'en aller, assure qu'il me tiendra au courant. Conclut tout cela d'un demi-sourire mélancolique.

Qui flotte un moment dans la pièce après son départ, posé sur un odorant nuage phytothérapeutique.

Je m'accordai en regardant se dissoudre un comprimé d'Antalvil que je venais une fois encore de mentir, et plus seulement par omission, à un représentant de la loi. Ce qui, en soi, n'est pas forcément d'une extrême gravité.

Mais là ? Les aveux du grand-père n'éclaircissaient en rien la disparition de Stern. Au contraire, ils rendaient encore plus incompréhensible ce qui s'était passé cette nuit-là. Et, certes, j'avais quelques bonnes raisons pour cacher à la police que les mignons de Neg m'avaient rouée de coups. Mais l'existence du DVD et ce que je savais sur Rhyme, à l'évidence la protagoniste féminine du « flirt » avec Vito, et selon toute probabilité la petite-fille de l'homme qui s'était dénoncé à la police ?

Pourtant, contrairement à ce que l'inspecteur semblait soupçonner, je n'étais pas ou plus depuis longtemps jalouse de la vie amoureuse de Stern. Il m'avait certes fallu quelques années pour admettre qu'il était et serait toute sa vie un *wanderer*. Mais une fois que j'avais eu compris ça, j'avais pu aimer d'autres hommes, vivre enfin ma vie de femme.

Quelque part en moi-même, j'ai cru entendre quelqu'un glousser. Une voix féminine cette fois, qui m'a fait sursauter.

Qu'est-ce que c'est que ça, ma vie de femme ?

J'ai décidé de regarder au plus vite la fin du film, puis de rappeler Moskowitz en faisant celle qui vient de le découvrir.

Quand j'ai regardé l'heure, il était cinq heures du soir. Je me souviens d'avoir pensé simultanément à une vieille pub pour déodorant et à García Lorca.

C'est notre sort, à nous autres autodidactes d'extraction populaire, ai-je pensé. On a absorbé tout ce qu'on pouvait dans un désordre irrémédiable – et nos têtes en débordent, à jamais, de cadavrexquis qui frôlent parfois l'obscénité.

Je fermai le verrou à double tour, non sans m'avouer qu'il ferait une piètre protection contre un coup d'épaule un peu énergique.

J'avais peur, mais un autre sentiment l'emportait sur cette peur. De la curiosité mêlée d'une certaine excitation. Je sentais que les choses se mettaient à craquer et à se fissurer tout autour de moi, et une fois de plus, observant par la fenêtre les énormes masses de béton grisâtre, la surface craquelée de la dalle, j'eus l'illusion d'avoir été transportée dans un paysage glaciaire.

Et pour commencer, me dis-je, on va bien voir si cette petite caissière se décide à venir.

En attendant Rhyme, j'ai ouvert «Revivre la bataille», le seul chapitre d'*Opération Antigone* que je n'avais pas encore visionné.

C'était encore un de ces plans fixes de la dalle, si fixe qu'on pouvait imaginer la caméra filmant de sa propre volonté, sans intervention humaine.

On entend la voix off de Stern, agacée.

«Ce matin, vent et nuages d'épiphanie mais rien ne surgit, rien n'apparaît. Je crève d'ennui.»

Il zoome sur l'escalier G où comme d'habitude une bande de péripatéticiens font le pied de grue, en poursuivant son monologue:

«Même ce bras de fer avec les petits durs du coin, c'est sans intérêt. Parce que quoi qu'ils me fassent ils n'arriveront jamais à la cheville du camarade Vasil.

Oui, comparés à Vasil, ces soi-disant guerriers sont aussi dangereux qu'une bande de têtards.»

Un silence assez long, et Stern ajoute, fanfaron:

«Mais bon, dans ce domaine, qu'est-ce qu'un type comme moi aurait encore à prouver?

En fait, je passe ma vie à côté de là où ça se passe. Dans la salle d'attente. À côté de la pièce où Vasil a fait de moi un lâche pour la vie… Chaque fois que j'y pense le rouge de la honte me monte au front.»

Encore un silence. Encore ce ton grinçant comme une porte de prison :

«Mais peut-on encore mourir de honte aujourd'hui ? »

Puis Stern dit qu'il sort. Il laisse tourner la caméra sans lui, toujours braquée sur l'escalier G, en plan assez large. La porte du studio claque. Et quelques minutes plus tard on le voit entrer dans le champ, traversant la dalle en diagonale.

Ils le hèlent ou l'apostrophent de loin, tout ça muet évidemment et quand, sans se presser, il s'approche d'eux je le vois nettement, mèche barrant l'œil oblique, petit sourire en coin.

Les lascars s'animent. Ils me paraissent plus nombreux que d'habitude, plus agressifs, ils entourent Stern comme une meute. C'est assez confus, l'image se brouille quand ça bouge trop vite, mais je reconnais le type au diamant, tout survêtu de blanc cette fois.

«Fumier de ta race, pédé, sale juif, tu nous suces la moelle. Casse-toi ou t'es mort», commente la voix de Stern resurgie du néant et qui semble s'adresser à quelqu'un.

«Tu les connais, c'est la bande des Mattes, répond la voix douce de Rhyme. Je les déteste, ces connards. Ils me font vomir, t'as pas idée.»

Je les imagine côte à côte, peut-être là où je suis en ce

moment même, regardant la scène sur l'écran du lecteur ou sur l'ordinateur. Stern enregistre leur dialogue, qu'il a l'intention de monter avec l'image captée par la caméra.

«Et là, Neg donne le signal», poursuit Stern.

Neg. L'homme au diamant. Le chef de la bande des Mattes. Il se tient légèrement en retrait et ne bouge pas, comme quand les deux mignons me tapaient dessus. Je ne vois pas de quelle façon il donne le signal, mais en effet quelqu'un passe derrière Stern, lui fait une clé autour du cou, l'attrape par les cheveux et tire violemment en arrière.

Je palpe mon propre cuir chevelu encore douloureux.

Un autre petit soldat de Neg ouvre un rasoir sous le nez de Stern, un troisième lui bourre le ventre de coups de poing. Stern fait ce qu'il peut pour tenir mais ses genoux lâchent, il n'est plus debout que parce qu'on le tient.

Je me lève en me mordant les lèvres, comme si ça se passait en ce moment.

«Je les déteste», répète Rhyme pendant ce temps.

Beaucoup plus calme que moi, malgré tout.

«Mais toi, continue-t-elle, qu'est-ce que tu crois que t'es venu faire ici? Tu nous filmes. Tu filmes la merde où on vit. Après t'iras filmer une autre merde et d'autres gens nageant dans cette autre merde si c'est ça qui te chante. Mais de toute manière tu vas partir, tu peux toujours partir quand t'en as marre.»

Silence, claquement de briquet.

«Y a pas de quoi se marrer. Le mec célèbre et qui a du fric, c'est toi pas vrai?»

Sur l'écran Stern est maintenant à terre, mais ça ne l'impressionne pas plus que ça, Rhyme.

«Alors dire que toute cette merde t'est bien utile pour faire des films, je pourrais pas jurer que c'est tellement faux.»

À ce moment, Viviane Montastruc, la prof de lettres retraitée, entre dans le champ par la droite. Comme dans un film muet elle pile net devant la mêlée, c'est tout juste si elle ne lève pas les bras au ciel, puis elle fonce au secours de Stern qu'elle ne peut sans doute pas encore distinguer. Fée Carabosse contre les ogrelets, elle les engueule.

En écho bruyant Rhyme s'énerve elle aussi, sa voix fluette grimpe dans les aigus.

«Et en plus tous les matins tu peux te dire qu'est-ce que j'ai comme bol de pas être né dans cet endroit pourri. Alors j'irais pas te casser la gueule pour ça, mais que tu nous suces la moelle je dirais pas non plus que c'est complètement faux, si tu veux savoir.»

On entend la porte du studio qui claque.

Les ogrelets, sur l'écran, restent ahuris. Ils hésitent, tournicotent, râlent mais sans attaquer frontalement la vieille dame. Puis tout d'un coup, après un autre signe invisible de leur chef, ils disparaissent en rabattant leurs capuches et traînant les pieds, quelques zigzags de rasoir dans l'air pour la frime. On devine des aboiements decrescendo.

Alors Stern, une ébauche de sourire flottant dans la voix, reconnaît que là au moins où elle n'a pas tort, Rhyme, c'est qu'il a encore réussi à se faire une belle collection d'ennemis. «La bande à Neg, énumère-t-il, puis la majorité des gens de la cité, et finalement Rhyme. Rhyme comme Rose il y a trente ans, comme une Rose de maintenant, une Rose un peu moins rose que Rose.»

«La Montastruc, ajoute-t-il ensuite devant l'image redevenue immobile, a balayé mes remerciements d'un *pfuitt* négligent – elle m'a invité à prendre le thé dans sa cuisine. Un jour l'un d'eux l'a traitée de vieille sorcière. Elle lui a rappelé devant ses copains comment "il faisait encore pipi dans son jogging en CM2", selon ses propres termes, et depuis ce jour-là ils lui foutent la paix.»

«Voilà, conclut Stern. Le supercaïd de la cité, le *capo dei capi*, ou plutôt le Pap des Paps, comme ils disent ici, c'est Viviane Montastruc.»

J'aurais quelques réserves à formuler sur les analyses de classe que Rhyme vient de servir à Stern. Pour en avoir moi-même usé et abusé, j'ai fini par admettre que c'est un peu plus compliqué que ça. Une chose en tout cas que je sais et que Rhyme ignore sans doute, c'est que ces questions, Stern se les pose à lui-même depuis qu'il sait tenir une caméra.

Mais ce n'est pas maintenant que je vais ergoter là-dessus. Après avoir vu l'attaque des désosseurs contre Stern, senti l'onde de violence comme une réplique de ce matin, quand c'était moi qu'ils rouaient de coups, je ne me trouve plus aucune excuse pour retarder le moment de donner le DVD à Moskowitz.

Pendant que j'écoute le message enregistré sur la boîte vocale de l'inspecteur, j'ai une sorte de flash : Vito sur le tiroir de la morgue, tel qu'il y gisait dans mon rêve. Du coup je bafouille un message long et embrouillé pour, en définitive, ne rien signifier de plus que : rappelez-moi le plus vite possible.

Et alors j'entends, mais très distinctement, la voix de Vito me dire avec une lenteur folle, comme s'il se réveillait d'un long sommeil :

Mais à quoi ça sert, tout ça ? De toute façon maintenant je suis mort, non ?

Des coups frappés sur la porte m'ont fait sursauter. Mais ce n'était rien de brutal comme l'autre nuit : des coups légers en séries aléatoires, trois-trois-deux-quatre, et se répétant au même rythme pressé trois-deux-trois-cinq tandis que, à moitié endormie encore, je me demandais s'il s'agissait d'un langage chiffré et qui pouvait bien s'efforcer d'entrer en communication avec moi de façon aussi tordue.

Finalement et non sans mal – mes bras et mes côtes apprenaient sur le tas, par essais / erreurs, l'économie de la douleur –, je lui ai ouvert et elle entre après avoir fait le tour de la pièce du regard, comme pour s'assurer que je ne l'ai pas attirée dans une embuscade.

Elle répond à mon bonsoir d'un curieux bruit de gorge. Fait crisser sur le parquet les semelles de crêpe de ses grosses chaussures montantes. Cheveux tirés en chignon de danseuse, teint très pâle aplatissant le visage, pas de maquillage à part un rouge-noir myrtille écrasée sur les lèvres.

C'est elle, mais dans une version très différente de la caissière du Kosto.

Vaguement geishisante ou madone gothique sans piercings ou star du muet, Louise Brooks dans *Loulou*: aspiration des couleurs par le blanc ou par le noir, bouche sombre qui troue la pâleur du visage, ténèbre des cheveux et des yeux.

Et quelque chose d'autre encore.

Ses yeux, justement. Au supermarché elle levait à peine la tête, ça ne m'avait pas frappée. Ses yeux sont fixes et brillants comme des yeux de verre. Uniformément noirs et brillants, sans pupilles.

Sans commenter l'heure (d'ailleurs ma montre s'est arrêtée, il n'est peut-être pas si tard que ça), je lui demande si elle veut boire quelque chose.

Whisky, thé? eau du robinet?

Elle refuse tout d'une brève moue en me passant devant, un peu voûtée, les mains crispées dans les poches de son blouson, et va se poser (en habituée ou en jouant l'habituée) sur l'unique chaise, devant la table.

Elle me regarde comme si j'étais une boîte de n'importe quoi défilant sur le tapis roulant de sa caisse.

Sort un paquet de clopes, en allume une.

Me gratifie d'un «bon, je suis là» très fille à sa mère, de

sa voix fine et ténue qui produit décidément un contraste curieux avec sa dégaine dure à cuire.

Ses yeux bizarres me fixent.

Pour me donner le temps de réfléchir je m'approche du mur de vidéogrammes et je réexamine son portrait. Je n'y vois rien de tout ce cirque gothique, juste une jolie fille au regard grave assise au sommet d'un talus, adossée à un gros nuage blanc de la famille cumulus. Une jolie fille dont le demi-sourire faraud montre à quel point, au moment où Vito la filme, elle est certaine de son pouvoir de séduction. Et peu convaincue que ce soit si important que ça.

Mais pas du tout ce masque crayeux, figé, que j'ai devant moi.

Effrayée.

De nouveau cette impression que quelque chose lui fait peur.

Peut-être sait-elle que je suis «pancartée» par Neg, le Pap de la cité des Mattes, donc dangereuse à fréquenter Rhyme a peur, si peur que ses pupilles envahissent la quasi-totalité de ses prunelles, que son visage en est blême. D'ailleurs sinon pourquoi serait-elle là, à me fixer comme un oiseau empaillé?

Je remets en marche le lecteur, ouvre un des rushes de la série R et la laisse regarder sans rien dire. C'est celui où on la voit dîner avec sa copine dans la petite cuisine verte, puis déplier le canapé-lit et se coucher dans l'autre pièce. Pizza surgelée clope vaisselle, chemise de nuit brossage de cheveux, etc.

Je me suis placée de l'autre côté de la table et j'appuie mes deux mains sur le rebord – reproduisant à peu près la posture récemment adoptée par l'inspecteur au même endroit, sauf que moi je ne quitte pas Rhyme des yeux.

Je la vois d'abord sourire en tirant sur sa cigarette (qu'elle crame en trois taffes), puis elle se raidit sur la chaise, dos rond, bouche entrouverte, chevilles nouées.

Quand l'écran redevient noir elle souffle en gonflant les joues.

– Je ne savais pas qu'il m'avait filmée, dit-elle en levant le visage vers moi.

Si elle fait semblant c'est bien imité. Un halo mauve s'est creusé sous ses yeux, accentuant cette allure fatale qui ne doit pas être facile à porter dans un quartier comme le Fond des Forêts, pas pour une fille «honnête» du moins. Je l'imagine tournant en rond dans sa chambre de l'autre côté de la dalle, pendant que je dormais. Y aller? Pas y aller?

– Vous ne saviez pas qu'il filmait?

– Mais si, il filmait tout le monde, enfin tous ceux qui voulaient... C'est pas ça, c'est...

– ... filmer par la fenêtre, en cachette?

Elle a un sourire perdu et à cet instant je la trouve si belle que c'en est douloureux.

Je lui demande si ça ne l'intéresse pas de savoir qui je suis.

— Mais je le sais ! s'agace-t-elle. Vous êtes sa meuf.

— D'accord, dis-je en m'efforçant de sourire, si on veut.

Je fais le tour de la table, ouvre un nouveau rush de la série R que je fais défiler en accéléré, puis un autre.

Devant nous la barre d'en face baigne dans une pénombre laiteuse, la bande de ciel au-dessus vire lentement au verdâtre, avec des traînées plus claires presque jaunes.

Pendant que Rhyme visionne en silence les plans fixes, un léger rictus incrédule tordant sa bouche, je me rappelle l'époque où j'étais jalouse des amies de Stern. Quelques-unes étaient franchement belles, d'autres moins mais aucune n'était banale — pour autant que ça veuille dire quelque chose, banale. Et puis à l'époque la simple faculté de plaire à Stern m'aurait suffi pour envier la plus terne des femmes.

Alors tu te débrouillais bien, me glisse une voix, une voix qui ne peut être que celle de Vito. *Personne n'aurait pu te soupçonner de jalousie, à ce moment-là.*

Rhyme n'a pas fait un geste, elle continue de se regarder déambuler derrière sa petite fenêtre, sur l'écran du moniteur. J'en déduis que cette narquoise intervention n'a pas franchi les limites de ma boîte crânienne.

Je n'avais pas le choix, réponds-je in petto à la voix. Quant à Rhyme, elle aussi est une jeune fille séduisante, très séduisante. Et tout sauf idiote. Mais ce que je ne me représente pas, là, c'est toi avec elle. Toi en vieux beau ravagé de passion malheureuse pour une jeune fille.

Et pourtant, me nargue la voix. *Par quel miracle échapperais-je à la décrépitude ? Pourquoi vieillirais-je différemment des autres hommes ?*

Je réprime un haussement d'épaules au moment où l'écran redevient noir. De toute façon Rhyme ne peut pas me voir, je suis debout à côté d'elle, un peu en retrait. Elle secoue la tête, la partie inférieure de son front se couvre de ces petites vagues qui lui donnent un air si enfantin. L'image même de l'innocence désemparée.

– Il y en a des heures comme ça, dis-je sur le ton le plus neutre possible.

– Je ne comprends pas, proteste Rhyme. Pourquoi il fait ça ?

– Eh bien justement, je pensais que vous auriez peut-être une idée.

Le noir de ses prunelles devient carrément opaque.

Fous-lui la paix, me souffle la voix. *Elle n'y est pour rien, elle ne sait rien.*

Là-dessus une averse de grêle éclate, mettant fin à cet absurde échange, et nous procure, à Rhyme et à moi, quelques instants de diversion assourdissante.

– Vous savez, me dit-elle quand ça commence à se calmer, au début on savait pas du tout qui c'était. Et un jour, avec ma copine, on a regardé sur Google. Il y en avait tellement, on n'a lu que deux trois trucs mais après, forcément…

Elle me regarde, ses lèvres font le mouvement de siffler.

– Je vois, dis-je. Après vous avez pensé que ce n'était pas juste un vieux con.

Puis je vais m'asseoir sur le matelas, position d'infériorité que désapprouverait sûrement mon camarade inspecteur, et, m'efforçant d'employer les mots d'un flic, d'un flic de polar bien entendu, je demande platement à Rhyme ce qu'il y a entre Stern et elle.

En guise de réponse elle allume une autre cigarette et, alors que la grêle s'éloigne et disparaît théâtralement derrière la tour, elle se lève brusquement. Me jetant au passage un regard déçu, elle se dirige vers la sortie.

Loupé, me dis-je en écoutant crisser les grosses semelles de crêpe. J'aurais peut-être dû rester debout.

Ou lui faire un croc-en-jambe.

Mais finalement c'est la porte de la salle de bains que Rhyme pousse puis claque derrière elle. Et là-dedans ses mouvements sont aussi expansifs que sa voix était méfiante. Les bruits qui se succèdent de l'autre côté de la porte (longs et bruyants éclaboussements d'eau, claquement sec, soupir étouffé) me renseignent sur chacun de ses gestes, appuyer sur la chasse, ouvrir à fond le robinet d'eau froide, s'asperger le visage, se montrer les dents dans la petite glace de l'armoire à pharmacie, l'ouvrir à la recherche d'un peigne ou d'une aspirine (aussi introuvables l'un que l'autre, à part de la poussière accumulée dans les coins, cette armoire ne contient qu'une bombe de mousse à raser et un assortiment de pansements adhésifs sous pochette plastique – Stern a toujours eu les pieds sensibles).

– Bon, mais c'est fini depuis longtemps, maugrée la petite voix quand elle ressort, les joues humides et moins blêmes. Et en plus c'était rien qu'un p'tit délire de rien du tout. Faut pas vous prendre la tête avec ça madame.

Je l'informe que je m'appelle Rose et que ce n'est pas avec ça que je risque de me prendre la tête. Parce que Vito et moi sommes séparés depuis très longtemps. Depuis des années.

Rhyme s'arrête au milieu de la pièce pour se rallumer une cigarette et me regarde de haut.

– J'essaie de comprendre ce qu'il fabrique, c'est tout. Ce qui se passe. Pourquoi il a disparu.

Sa bouche forme un O, rate un rond de fumée. Elle reste là plantée à fumer, les yeux fixés dans le vague.

– En fait, se décide-t-elle. En fait *après...* on était devenus amis.

Depuis mon matelas je lui souris d'un air encourageant

– j'ai bien sûr remarqué qu'elle parle au passé mais j'ignore pour l'instant quelle conclusion en tirer. J'ai aussi remarqué, depuis un certain temps, qu'elle ne s'exprime pas dans la novlangue codée des jeunes banlieusards mais dans un français plutôt régulier. Je ne sais pas non plus quoi en penser. Je lui demanderais bien si c'est pour se mettre à ma portée ou si c'est un choix permanent, exprimant un penchant anticonformiste que je devine, mais je m'abstiens.

On n'en est pas à ce degré d'intimité.

– Enfin, corrige-t-elle, ça devenait de plus en plus compliqué.

Elle va se rasseoir sur la chaise. Je vide mon verre. Pas très pro, je l'accorde à ma conscience moskowitzienne – l'autre entité flicarde, la voix de Stern, ne moufte plus depuis un moment.

Au début, m'explique Rhyme, en gros il y avait ceux qui étaient fascinés par la caméra de Viteslav, ceux qui croyaient qu'il allait les faire passer à la télé et tout ça. Avec eux ça allait assez bien, il les filmait en train de jouer au foot, ils se parlaient un peu. (C'est étrange de l'entendre l'appeler comme ça, Viteslav. Qui ai-je jamais entendu appeler Vito Viteslav ?) Et il y avait les autres qu'il dérangeait, qui le considéraient comme un mateur, ou comme un flic pour ceux qui tiennent les petits commerces. Au début ils acceptaient d'être filmés, il savait les convaincre. Ensuite il leur montrait des bouts de films qu'il faisait avec, franchement bizarres, déjà ça leur plaisait moins. Mais c'est surtout après, avec ce qui s'est passé à la fin de l'hiver, les violences et tout ça. C'est devenu difficile pour lui. Même ceux qui essaient de se faire des books pour envoyer aux jeux télé, ajoute-t-elle, même ceux-là, ils n'avaient plus très envie d'être vus avec lui.

On avait glissé des lettres de menace sous sa porte – c'est vrai que Stern c'est un nom juif? me questionne Rhyme –, cet hiver il avait trouvé sa porte fracturée, une silhouette d'homme poignardé dessinée dessus à la bombe, livres et papiers saccagés. Il avait réussi à récupérer son ordinateur après de longues tractations, en offrant une récompense, et récemment il s'était fait cogner par une bande.

– Même pour ceux qui l'aimaient bien, conclut-elle, il était temps qu'il s'en aille.

Je lui demande ce qui s'est passé, à son avis, la nuit où il a disparu.

– Pour Viteslav je sais pas, me répond Rhyme. En fait quand vous m'avez parlé j'ai cru que c'était pour mon grand-père.

Tout en parlant Rhyme s'était levée et approchée de la baie vitrée, comme tout un chacun le fait dans ce studio. La tête rêveusement inclinée sur le côté, elle regardait la dalle.

Et à un brusque changement dans sa façon d'être là, un tressaillement de la nuque, un frémissement du dos, j'ai su que quelque chose se passait en bas.

Je me suis levée, mais quand je me suis penchée à mon tour je n'ai rien vu. Rien à part la lumière qui s'éteignait dans le hall du bâtiment D, celui où habite la famille Djhone.

— Il se passe quelque chose ?

— Mais non, me dit-elle, rien du tout.

Avec une excitation dans la voix et dans le regard qu'elle ne réussit pas à neutraliser tout à fait.

— Mon grand-père, c'est lui qui s'est accusé, poursuit-elle de manière un peu décousue. Quand les flics m'ont interrogée je leur ai dit que c'était vrai que Stern était venu chez moi ce soir-là.

Elle enfonce le clou en hochant de tête, comme si j'avais manifesté une réaction quelconque. Évidemment, elle oublie de dire qu'elle a devancé les questions des policiers en allant les voir de son propre chef. Ça ne doit pas être une chose dont elle a envie de se vanter, même si elle l'a fait pour aider deux copains dans la merde.

— Sharon et moi on a rencontré Mouse qui sortait de prison et Job le bootlegger, on leur a proposé de passer.

Tandis que je me demande ce que peut être un bootlegger aujourd'hui, Rhyme m'apprend que ce Job est le meilleur ami de Mouse. Un dealer peut-être ? un marchand de chaussures ? Ce soir-là, donc, ils sont venus chez elle avec de la bière — un six-pack chacun, précise-t-elle.

Maintenant qu'elle s'est décidée à parler son débit vocal s'accélère, monte en puissance dans les aigus et tout son corps s'irrigue d'une volubilité survoltée, chevilles désenroulées, souples, pieds ouverts bien à plat impulsant un mouvement de girouette à la chaise pivotante, traduction simultanée en langue des signes de ses mains aux ongles rongés.

— Et puis Mouse m'a dit : alors tu vas quitter ici avec

ton vieux ? (Elle tousse, écrase sa cigarette avec une grimace dégoûtée.) Je lui ai dit que non, que c'était Viteslav
qui en avait marre d'être ici. Ça fait un moment qu'il se
serait tiré s'il y avait pas eu les menaces.

Plus elle raconte plus elle s'anime, clope briquet quelle
heure il est, renoue son chignon, coudes en l'air, clignant
de l'œil à cause de la fumée.

— Et plus tard on avait trop bu, on l'a appelé, Viteslav,
on lui a proposé de passer. Il a amené de la vodka.

Elle arrête de faire pivoter la chaise comme une toupie
bloquée, se lève d'un bond, file vers la kitchenette, se
remplit un verre d'eau, pivote sur un talon en l'avalant
cul sec.

— Après Sharon et moi on est allées se coucher, on
travaillait le matin. Ils sont sortis tous les trois avec la
bouteille.

Elle repasse devant moi, le pied élastique, contourne la
table, stationne en équilibre sur une jambe devant les
vidéogrammes. C'est devenu une autre fille, l'ex-madone
gothique en bois ne tient plus en place, elle bouge tout le
temps, sa présence devient quelque chose de musclé assez
éreintant.

— Plus tard Mouse et Job sont revenus dormir chez
moi, ils ont sonné, soi-disant que c'était trop tard pour
qu'ils rentrent chez eux.

Musclée, je n'avais pas compris à quel point cette fille

est musclée. Puissamment, dangereusement musclée. Ou est-ce qu'elle se serait enfilé quelque chose dans la salle de bains?

— Je faisais comme si je dormais mais ils continuaient à sonner, à parler fort, à dire que leurs daronnes allaient les tuer. Pour les calmer, ils étaient trop bourrés, j'ai dit d'accord, j'ai refermé la porte à clé, ils ont plus bougé.

— Il était quelle heure?

— À peu près une heure, me répond-elle très vite. Et quand M. Bentottal a vu Viteslav à la Potence c'était bien plus tard, vers trois heures du matin.

Je me soulève sur les coudes, c'est fou ce que j'ai sommeil mais ce n'est vraiment pas le moment. Le sac de nœuds se resserre en pelote inextricable comme si quelqu'un, pris d'une rage folle, tirait sur tous les fils à la fois.

— Et qu'est-ce qu'il a avoué, votre grand-père?

— Qu'il s'est battu avec Viteslav, au petit matin.

Sans beaucoup de style, mais d'un seul élan, je parviens à me lever de ce foutu matelas.

— Il l'a laissé au pied de la Potence, par terre mais pas du tout mort. Il dit qu'il l'avait trouvé là et qu'ils se sont disputés et ça a dégénéré. Qu'il voulait le taper mais il l'a pas tué.

On est maintenant face à face, sous l'ampoule qui pend. La lumière zénithale creuse ses orbites. Me fait sûrement une tête de momie.

— Et pourquoi voulait-il le taper ?

Elle flotte un instant, je sens qu'elle se pose la même question.

— À cause de vous ?

Elle tripote son chignon, l'air préoccupé.

— C'est ce qu'il a dit aux flics. Parce qu'on était sortis ensemble. Pour plus qu'on me traite de pute. Mais j'y crois pas. Je crois même pas qu'il ait vu Viteslav.

Ce qu'elle soupçonne, Rhyme, c'est que son grand-père est allé s'accuser pour la soutenir, quand il a su qu'elle avait fourni un alibi aux deux garçons en garde à vue. Pour que les flics ne l'accusent pas d'avoir menti si… s'il est arrivé quelque chose à Vito.

— Et en même temps il tire d'affaire votre copain Mouse.

Elle secoue la tête avec énergie. Le grand-père déteste Mouse. S'il a menti aux flics, c'est uniquement pour la protéger, elle.

— Mon grand-père, précise-t-elle pour tout expliquer, c'est un harki.

Évoquer son grand-père, c'est une chose qui la ralentit. Elle cesse de s'agiter comme un papillon de nuit et va s'asseoir sur le matelas.

— Il ne parle à personne. Personne ne lui parle, ajoute-t-elle en repliant ses jambes sous ses fesses.

Puis elle se tait. Je nous sers à chacune un bon verre

d'eau et je vais m'asseoir à l'autre bout, côté oreiller. Entre nous traîne le magazine que j'ai acheté quand je suis retournée au Kosto. Le numéro suivant celui que Rhyme lisait en cachette de l'homme au tapis-brosse sur le crâne. Il y en avait un présentoir plein devant chaque caisse avec les chewing-gums, les paquets de bonbons et les piles électriques. Je l'ai lu de bout en bout l'autre soir, de la pub pour *love coachs* sur Internet – « une astuce : joue-la spontanée, souriante et punchy. Un moyen infaillible pour faire craquer les mecs. Inutile de sortir la grosse artillerie, ils ne flasheront pas bien longtemps » – à la conversion miraculeuse d'une malheureuse reine de la vidéo hot condamnée pour usage de stupéfiants.

La dernière fois que je suis allée voir ma mère à Troyes, elle m'a demandé de lui acheter *Voici* et *Gala* au kiosque de la gare. Je les avais feuilletés avec précipitation sur le trajet, sachant que je ne m'autoriserais pas à les lire devant elle, comme elle. Mais s'il y a une chose dont je n'ai pas envie, pour l'instant, c'est de penser à ça. Troyes, Pantex, ma propre jeunesse de merde. Je demande à Rhyme quel âge a son grand-père.

– Il est malade, me répond-elle. Ça m'étonnerait qu'il soit capable de casser la gueule à Viteslav, même complètement bourré, Viteslav.

Je pense à Slimane, vieux combattant usé solitaire, au

mépris qu'il a peut-être, qu'il a très probablement pour l'autre, le harki, le traître. Encore plus usé, encore plus seul. Slimane, lui, peut au moins se rappeler le bon tour qu'il a joué aux tortionnaires du DOP, comment l'adolescent malingre qu'il était les a roulés dans la farine.

C'est peut-être ça que Rhyme me laisse deviner. Un vieillard – que sans doute tout le monde ici, à tort ou à raison, considère comme un traître – espère en s'accusant de quelque chose qu'il n'a pas commis, et qui n'a peut-être pas eu lieu, espère montrer à ceux qui le traitent de lâche qu'il a de l'honneur, qu'il est capable de courage.

Depuis un moment, quelque chose m'intrigue.

– Pourquoi ne l'avez-vous pas dit tout de suite ?

Rhyme comprend au quart de tour.

– Qu'ils avaient dormi chez moi ?

Je hoche la tête.

– J'ai eu assez d'ennuis comme ça dans le quartier, soupire-t-elle. Je pensais que les flics ne les trouveraient pas avant que Viteslav revienne. Je suis sûre qu'il va revenir.

– Vous en êtes sûre ?

Elle se contente de me regarder droit dans les yeux. Ils ne sont plus opaques maintenant, on peut lire dedans.

– Comment pouvez-vous en être sûre ?

– Je ne sais pas. J'en suis sûre, c'est tout. Il est parti quelque part et il va revenir.

Je n'en tirerai rien de plus, et je n'ai pas l'impression qu'elle me dissimule quelque chose. Elle y croit, elle est sincère. Lorsque Guy m'avait dit la même chose j'avais eu l'exaspérante sensation qu'il bottait en touche, alors que ses paroles à elle m'inspirent confiance. Cette phrase parfaitement gratuite – qu'en sait-elle s'il va revenir? – me ranime comme si je venais de plonger dans un bain d'eau de Jouvence.

Et elle dit qu'elle est sûre aussi pour Mouse. Il sort de taule, c'est fini les embrouilles pour lui. Sa mère est malade, il va chercher du travail.

– Je connais Mme Djhone. Elle m'a parlé d'une histoire d'amour qui a mal fini pour son fils. C'était vous?

Elle est surprise et ça la fait rire, vous devenez drôlement indiscrète, là.

Je ris avec elle. On rit chacune à notre bout de lit. Deux copines qui se tiennent chaud en attendant des jours meilleurs.

Rhyme feuillette le *People* qu'elle doit déjà connaître par cœur, regarde le dossier femmes enceintes avec un air dégoûté.

– On était ensemble depuis qu'on avait quatorze ans,

chuchote-t-elle, sa voix n'est plus qu'un ruisselet de voix. Mais ils nous ont tellement pourri la vie, ça a fini par casser.

Ça lui donne envie de se gratter la saignée des bras. Elle gratte, elle gratte, à cause des ongles rongés on a l'impression que ses doigts sont amputés de leur dernière phalange. Elle dit que c'était surtout le grand-père et les oncles, mais tous, même la mère étaient contre. Pourquoi? (Menu haussement d'épaules.) Pourquoi, à votre avis? Ils disaient que c'est parce qu'il n'est pas un bon musulman mais ça n'a jamais trompé personne.

Ils ont tenu trois ans.

Deux enfants seuls contre leurs deux familles ça n'a jamais fait le poids.

À dix-huit ans elle a trouvé un boulot, caissière au Kosto, loué un appartement qui se libérait dans la cité, avec son amie Sharon, et Mouse s'est mis à faire des conneries, exactement comme ils l'avaient prédit. Il a fait le méchant nègre avec les désosseurs de voitures d'en bas. Mais là il est sorti de taule et sa mère est malade. Il peut tout faire, Mouse, tout le monde a confiance en lui.

Elle s'arrache à la contemplation de la dernière héroïne de «Mon fiancé en or», lève une paupière lourdement fardée d'ironie et me demande si ça me branche ces salades. Sans préciser si elle fait allusion au magazine ou à son histoire avec Mouse.

— Je suis épuisé, exhale Guy en me serrant brièvement contre lui.

Il est tôt, très tôt pour Guy. J'évite de lui demander où il a garé sa voiture, je laisse filer des images de carrosserie rayée par de crissants canifs, de vitre volant en éclats, de gamins fonçant au volant de sa jolie petite Alpha. Je ne lui demande pas non plus à quoi ni avec qui il a occupé sa nuit. Il y eut une période où nous dormions ensemble, Guy et moi, un an après ma chute dans l'escalier de la cinémathèque et la dernière séparation d'avec Stern. J'ai appris à ne lui poser que les questions qu'il n'attend pas. Et ses traits bouffis, affaissés, sont suffisamment éloquents. Guy aime boire et les lieux et les situations troubles. Je garde un certain dégoût de quelques nuits où il m'a entraînée quand nous étions ensemble. Mais il n'insistait jamais pour m'associer à ses divagations, lui-même semblait ne s'y enfoncer que pour tuer le temps.

Parfois, quand il venait me retrouver au milieu de la nuit, son corps avait une odeur et une consistance de fruit blet qui m'empêchaient de le toucher.

Pour l'instant il fait le tour du studio d'un pas incertain, les mains agrippées aux pans de la longue et large écharpe, presque une étole, qui pend autour de son cou et qu'il enroule autour de ses poignets avant de les lever attachés derrière sa nuque, dans une posture de supplicié.

C'est lui qui a insisté pour venir mais je sens qu'il le regrette déjà. Quoi qu'il ait fait de sa nuit, il est ce matin d'humeur fragile.

Je lui résume ma discussion avec Rhyme, l'alibi qu'elle fournit à Mouse et Job, sa conviction que son grand-père a fait un faux témoignage pour la protéger.

— C'est peut-être elle qui ment, m'objecte Guy.

— Évidemment. C'est peut-être elle qui ment.

Il s'approche de la baie vitrée, la fait coulisser brusquement en fronçant le nez. Son œil fixe la barre d'en face.

— Je me souviens, dit-il d'une voix mélancolique, de ce vieux schnoque. On venait de lui remettre une très haute distinction genre Grand Croix de l'Ordre des architectes et il disait avec un petit rire sénile, devant la photo d'une de ses plus hideuses constructions : «J'ai toujours adoré l'écossais.»

Il trace des lignes horizontales et verticales qui trament la façade d'en face. Son œil vivant est rouge, congestionné.

– Tu entends ? J'ai toujours adoré l'écossais... C'est la Grand Croix du sadisme public qu'on aurait dû lui donner.

Quand son père est mort, Guy a hérité d'une grosse fortune. Il a acheté la galerie rue de l'Homme et le petit immeuble dont elle occupe le pied et nous a proposé, à Stern et à moi, de nous installer chacun dans un appartement, moyennant un faible loyer. Pour lui-même il garderait le dernier étage communiquant avec un toit-terrasse idéal pour y donner des fêtes.

C'était une idée infernale mais durant cette période ça, comme le reste, m'était à peu près indifférent. De nouveau, ma vie prenait une tournure que je ne choisissais pas, à l'exception de mon travail. Je photographiais des tremblements, le mouvement de corps qui tombent. Quant à Stern, j'ignore pourquoi il accepta cet arrangement immobilier, comme l'appelait Guy. Sans doute parce qu'il n'était presque jamais à Paris.

Nous étions un trio moderne. On n'évoquait jamais les liens qui nous unissaient encore ou nous étranglaient. On ne se supportait qu'à faibles doses, mais la solitude des deux autres nous était jusqu'à un certain point bénéfique.

C'était du moins la façon dont Guy voyait l'arrangement.

En fin de compte nous eûmes une liaison, lui et moi,

qui dura un hiver et un printemps, et laissa assez peu de traces dans nos vies pour que nous restions amis après. Guy et Stern ont continué à se voir de leur côté et, de plus en plus rarement et toujours à l'instigation de Guy, nous passions une soirée ensemble tous les trois. Quand je croisais Stern dans l'escalier avec une nouvelle ou ancienne fiancée, ou dans le cas de figure inverse, moi avec quelqu'un et lui seul, nous nous souriions en bons voisins.

Cela se produisait assez rarement, malgré tout.

Guy émerge de sa contemplation morose de la barre d'en face quand je lui décris les fragments de films stockés par Vito sur le disque vidéo.

Je m'apprête à lui demander s'il sait qui est Vasil, à quoi Stern fait allusion quand il parle de «la pièce où Vasil a fait de moi un lâche pour la vie», mais il me coupe l'herbe sous le pied.

Ce qui l'intéresse, c'est de voir la scène où Stern se fait tabasser par la bande à Pap Neg. Il regarde en silence, les sourcils froncés.

— Tu en as parlé aux flics?

— Oui, réponds-je. Évidemment que oui. Enfin, j'ai laissé un message à Moskowitz.

Je ne lui dis pas que de mon côté je me suis fait

bolosser par les mêmes. Déjà qu'il me considère comme atteinte d'une maladie grave dont tout le monde aurait connaissance sauf moi.

— Rappelle-le, me dit-il doucement.

Il hésite, puis :

— Moi aussi d'ailleurs je devrais peut-être aller lui parler.

Il a reçu ces derniers jours plusieurs appels bizarres sur son portable. Chaque fois le même scénario. Il entend distinctement quelqu'un respirer, se gratter la gorge comme se préparant à dire quelque chose, puis raccrocher. Peut-on reconnaître quelqu'un à ses raclements de gorge ? s'interroge Guy à voix haute.

— Et si...

Comment n'y ai-je pas pensé jusque-là ?

— Et si Vito avait été enlevé ? Cette bande, ils ont l'air assez cinglés pour ça.

Moue dubitative de Guy. Mais, peut-être impressionné tout de même par cette éventualité, il insiste pour que nous allions ensemble, et maintenant tout de suite, voir l'inspecteur.

- Vas-y déjà toi, lui dis-je.

Il hausse les épaules. Balaie de l'œil les vidéogrammes, me demande si j'ai besoin de quelque chose d'une manière qui renforce mon impression d'être en prison ou à l'hôpital, puis il se décide à partir.

Pendant qu'il me dit au revoir, je comprends qu'il me juge incurable et que c'est la dernière visite qu'il me rend dans cet endroit. Cette Rose-là, j'imagine, lui inspire au mieux une sorte de compassion, et plus probablement un mélange de mépris et d'agacement.

Quelques minutes plus tard je le vois qui traverse la dalle, en biais et en vitesse.

En quatrième vitesse, ricané-je. *Kiss me deadly.*

D'ailleurs à partir de ce moment-là tout s'est accéléré.

J'ai rappelé l'inspecteur, qui parlait encore comme un opéré du larynx. Je lui ai demandé s'il avait envisagé l'hypothèse d'un enlèvement, idée qui me travaillait depuis que Guy m'avait parlé de ces coups de fil muets. Je lui ai dit que j'avais trouvé un disque vidéo contenant entre autres choses un film où Stern est roué de coups et menacé de mort par une bande de la cité voisine, datant d'une période où Moussa Djhone était en prison. Cela n'innocentait-il pas les deux jeunes gardés à vue ?

Leur chef s'appelle Neg, lui ai-je répondu ensuite. C'est tout ce que j'ai entendu comme nom.

J'ai ajouté que selon sa petite-fille le vieux monsieur qui s'était dénoncé avait inventé toute cette histoire dans l'intention de lui venir en aide, à elle, parce qu'il craignait qu'elle n'ait fourni un faux alibi à Djhone.

— Nous ne l'avons jamais pris très au sérieux, piaula

l'inspecteur. Mais pour Djhone, c'est autre chose. Les taches présentes sur la chaussure de M. Stern ont été analysées, nous avons eu les résultats ce matin. Certaines proviennent de son propre sang. D'autres de celui de Moussa Djhone.

Un silence, puis :

– C'est notre piste la plus sérieuse pour l'instant. Nous avons été obligés de le relâcher hier et bien sûr il s'est évanoui dans la nature. Nous le recherchons, il est très probable que le juge décide de l'inculper.

Un autre silence.

– Je passe prendre ce disque, madame Stern. Madame, pardon, Cardenal.

Bizarrement je pensai d'abord à Awa Djhone, à l'effet que risquait d'avoir l'annonce de l'inculpation de Mouse sur son souffle fragile. Ça pourrait la tuer net, me dis-je. Il y avait maintenant douze jours que Stern avait disparu, des preuves s'accumulaient contre ce garçon que je ne connaissais pas, que je n'avais même jamais aperçu. Alors pourquoi m'obstinais-je à ne pas le croire coupable ? Parce que sa mère ressemblait à Billie Holiday ?

Et puis j'ai compris ce qui me tracassait confusément depuis un moment. J'ai rouvert *Ruzyne*.

Je fais défiler le film en avance rapide, jusqu'à la scène où l'instructeur brandit la photo montrant l'étudiant bras dessus, bras dessous avec son professeur, au milieu d'une manifestation de rue. Et je sais ce que je vais lire sur le carton suivant, je le sais parce que je l'ai lu ce jour-là : « Le camarade Vasil menace S. de le laisser moisir en prison jusqu'à ce que tout le monde ait oublié son existence. »

C'était là, dans *Ruzyne*, que j'avais déjà entendu, ou

plutôt lu ce prénom de Vasil. Pour l'oublier aussitôt, sonnée que j'étais par les coups du petit mignon.

Le Vasil dont parle Stern dans «Revivre la bataille», celui à côté de qui les petits casseurs des Mattes évoquent une bande de têtards, c'est l'instructeur, l'homme aux lunettes épaisses comme des culs de bouteille, qui interroge l'étudiant dans la pièce aux murs carrelés de blanc. Et l'étudiant, bien sûr, s'appelle S.

S. comme Stern.

Je continue de faire défiler le film en avance rapide jusqu'au moment où je m'étais arrêtée de le regarder (les lèvres de l'étudiant S., cette chanson dans une langue inconnue).

Et bientôt j'arrive à une scène où l'instructeur Vasil convoque S. pour lui révéler que sa fiancée, Hana, et son «cher professeur» mettent à profit son séjour en prison pour «filer le parfait amour».

Le piège est gros comme un char d'assaut soviétique, S., tout affaibli qu'il est, s'esclaffe. Il n'a pas le loisir de profiter longtemps de cette distraction, Vasil le fait aussitôt reconduire dans sa cellule.

On l'oublie encore dans son cachot, sans doute un nombre de jours pour lui incalculable. Il tombe malade. «Neuf semaines plus tard», précise un carton, on le voit prostré sur sa couchette, les yeux caves, ses lèvres remuent lentement.

Un jour où il grelotte de fièvre, le petit gardien l'amène de nouveau à Vasil qui lui montre une photo : on y reconnaît la jeune fille blonde dont S. garde la photo cachée dans sa chaussure, embrassant un homme plus âgé qui l'enlace tendrement sur une banquette de café. Un bel homme plein de prestance – le professeur et ami de S., celui qu'il admire plus que toute autre personne au monde.

S. chancelle, il s'évanouit. Quant il revient à lui, une étrange expression de soulagement passe sur son visage. Ses yeux brûlants de fièvre fixant ceux de Vasil, il se déclare prêt à témoigner contre le professeur. Gros plan surexposé sur sa main tremblante signant le procès-verbal de sa dénonciation.

Vasil le félicite, lui déclare qu'il sera bientôt libéré. En attendant, il n'est plus à l'isolement. Dans la cellule surpeuplée où on le conduit, il est de nouveau pris de vertige. Curieusement, si entassés que soient les autres détenus, le vide se fait autour de lui. Personne ne lui parle ni ne le regarde, c'est comme s'il était invisible. On comprend que le bruit de sa trahison circule déjà, si improbable que cela soit.

Puis, la nuit venue, S. subtilise à un voisin endormi ses lunettes, casse l'un des verres avec le talon de sa chaussure et tente de se suicider en se tranchant la gorge avec. On le sauve. Sur son lit d'hôpital, il supplie qu'on le conduise à Vasil.

«La déclaration que j'ai signée n'est qu'un tissu de mensonges, lit-on sur le carton suivant. Et si j'ai menti, si j'ai faussement dénoncé mon professeur, ce n'est ni par jalousie ni par désir de vengeance. C'est la terreur d'être toujours seul, la hantise d'être oublié, en un mot la lâcheté qui m'ont poussé à le trahir.»

Vasil lui rit franchement au nez, découvrant de minuscules dents pointues qui semblent plantées un peu au hasard et en nombre insuffisant pour meubler ses mâchoires. «Trop tard. Tu es libre!» triomphe-t-il. Dès le lendemain, il sera mis dans un avion pour Paris.

«L'été suivant», épilogue un ultime carton, on voit S. assis à une table de café parisien, *Le Monde* déplié devant lui. La dernière image du film est un gros plan sur le titre de l'article qu'il est en train de lire: «Un des leaders du Printemps de Prague condamné à six ans de prison pour complot contre l'État».

Je ne peux m'empêcher de penser à la balafre noire qui, dans mon rêve, traversait la gorge de Vito. Et dans le même temps je revois cette vilaine cicatrice longue de cinq centimètres à la base de son cou, bien réelle celle-là, qu'il attribuait à l'extraction d'un phlegmon durant son adolescence.

Maintenant je sais pourquoi Vito ne parle jamais de sa

jeunesse à Prague ni des conditions dans lesquelles il a émigré en France. Et je sais ce qui fait rougir son front chaque fois qu'il y pense.

L'inspecteur passa en coup de vent prendre le DVD, éludant mes questions avec son habituel laconisme. Un enlèvement, rien n'est à exclure bien entendu. Mais en principe un enlèvement est suivi d'une demande de rançon. Je ne peux rien vous dire de plus pour l'instant, allons rentrez chez vous voyons, ça ne sert à rien de rester ici. Un petit frissonnement agacé de ses doigts me fit penser qu'il était peut-être gay, en plus d'être albinos et mélancolique.

Quand il fut reparti je me suis rappelé Stern énumérant, à la fin de «Revivre la bataille», la liste de ses ennemis : «La bande à Neg, puis la majorité des gens de la cité, et finalement Rhyme. Rhyme comme Rose il y a trente ans, comme une Rose de maintenant, une Rose un peu moins rose que Rose.»

Jusque-là je m'étais débrouillée pour mettre cette phrase de côté, comme si elle ne me concernait en rien.

Mais maintenant que j'ai donné le DVD à l'inspecteur, maintenant qu'il ne me reste plus qu'à me repasser le film *Stern au Fond des Forêts*, je suis foutue. Tout ce qui était parfaitement enterré dans une lointaine basse-fosse de ma mémoire se déchaîne et rampe vers la liberté avec la détermination paisible d'une armée de morts vivants.

C'était après ma troisième tentative de décrochage, la dernière mais je ne le savais pas encore. Je ne dormais plus, je bégayais, je haïssais la terre entière, à commencer par moi-même.

Après une semaine de clinique et cinq de post-cure j'étais encore dans un état d'extrême débilité, l'odeur de bitume chaud me faisait fondre en larmes. En même temps j'étais si fatiguée que la mort semblait le prolongement naturel et immédiat du sommeil.

Quand je ne dormais pas je regardais les films de Vito – je les connaissais tous, mais à ce moment-là ils m'apparurent comme un remède fulgurant. Il filmait les gens de telle sorte que presque tous méritaient de vivre, même moi qui n'étais pas dedans.

J'ai pensé que Stern était le seul homme que j'aie jamais vraiment aimé.

Je l'ai appelé.

Il m'a proposé de venir chez lui, le temps que tu te

retapes. Je craignais que ce ne fût par pitié, mais j'acceptai. Avec son visage creusé, sa silhouette épaissie, il me plaisait plus encore peut-être qu'avant. On dormait ensemble. Il était gentil et un peu distant, je sentais souvent son regard posé sur moi. Et il y avait toutes ces femmes, des actrices, des cinéastes, toutes ces femmes belles et intelligentes qui venaient le voir. Je ne sais pas ce qu'il leur disait à mon propos, rien sans doute.

C'était encore l'été. Vers la mi-août j'ai compris qu'une chose surprenante m'arrivait : j'étais enceinte. C'était il y a dix ans, j'en avais quarante-deux.

Il me semblait que mes seins devenaient énormes, que je devenais une géante surpuissante. Vito a proposé qu'on se marie. Ça m'a paru étrange comme réaction, venant de lui. Et *c'était* étrange.

Mais on s'est mariés, avec Guy et Anahita comme témoins.

Vito m'a dit : maintenant tu peux changer de nom si tu veux. Ça m'a fait rire, c'était incroyable d'être de nouveau si proches, comme si on ne s'était jamais quittés.

On avait cessé de se fuir, de se faire peur.

Lorsqu'il m'arrivait de douter d'une telle conquête, d'un retournement si improbable, si éclatant de mon existence de *bad girl*, je touchais mes seins, mon utérus, dont le gonflement et l'hypersensibilité me rassuraient immédiatement. Mais pas pour longtemps. Tout en me traitant de pauvre folle, je renouvelais l'opération des dizaines de fois par jour.

Quant à Vito, plus j'étais enceinte et surpuissante, plus il devenait bizarre. Un Vito irréel, un manga. Une figurine plutôt réussie, paroles et mouvements des lèvres presque synchrones. Je crus d'abord que ça venait de moi. Que la métamorphose entamée à l'intérieur de mon corps brouillait, filtrait tout ce qui se passait à l'extérieur. Finalement, au bout de quelques semaines, j'ai compris. Le mariage, toute cette gesticulation, ces attentions qu'il avait, cette gentillesse anormale, c'était un effort désespéré pour oublier qu'il ne voulait pas de cet enfant.

Le rebondissement suivant, c'est la scène du grand escalier à la cinémathèque du palais de Chaillot. Une chute pour cinéphiles, grand escalier de pierre, enfant dans landau, lentissime dégringolade marche par marche, mille fois citée mais là coup de génie, condensation de rêve, bébé dans landau, landau dans ventre, ventre landau, foule à contre-courant, gros plan tête de Vito bouche déformée, blanc et noir surex, mère landau freinant ? accélérant ? la chute.

Zoom avant, plan américain cadré jusqu'au sexe : femme enceinte au sol évanouie, tache sombre qui s'élargit sous la robe.

Quelques jours plus tard, on m'expliqua à l'hôpital que j'avais beaucoup de chance de m'en sortir si bien, aucune séquelle – sauf, évidemment, que je ne pourrais plus jamais être enceinte.

Je me suis levée pour entendre autre chose que le battement du sang dans mes oreilles.

Mon portable a sonné, personne ne parlait, j'entendais juste quelqu'un respirer – comme dans les appels muets que Guy avait reçus.

J'étais complètement perdue, je ne contrôlais plus grand-chose de ce qui m'arrivait. Pour la première fois depuis que j'étais au Fond des Forêts j'ai eu envie de fuir.

Et puis c'était encore la nuit. Il me sembla qu'elle était tombée sans prévenir, avec une brutalité tropicale.

Je me suis mise à faire comme Stern, j'ai essayé de me mettre à sa place derrière la caméra, en laissant flotter mon regard sans idée préconçue. Et là j'ai remarqué, au onzième étage de la tour, deux hommes qui observaient sans se cacher la barre d'en face, au niveau des fenêtres de Rhyme.

Avec le téléobjectif, j'ai cherché les deux hommes. Ce n'était pas les jumelles à infrarouges de Sibylle Jean-Joseph, mais la nuit était claire, la lune presque pleine. J'ai reconnu sans mal l'homme qui avait appelé Rhyme par haut-parleur au Kosto. Le chef de caisse. À côté de lui, un barbu à peu près du même âge, coiffé d'une calotte blanche de musulman pieux.

Tous les deux regardent les fenêtres de Rhyme.

La jeune fille est seule dans la petite cuisine verte. Assise à la table, elle fume une cigarette en feuilletant un magazine. *Rear Window again.*

Impossible de distinguer l'expression de leurs visages.

Les deux hommes ont bougé en même temps.

Rhyme s'est levée, elle disparaît par la porte de la cuisine.

Réapparaît dans la chambre, une silhouette sombre la suit. Une silhouette masculine de taille moyenne – quelques centimètres de plus qu'elle –, large d'épaules et de cou.

Ils s'assoient sur le canapé, tournés l'un vers l'autre. Très près l'un de l'autre mais ils ne se touchent pas.

C'est curieux mais je n'arrive pas à détester cette fille.

Comme il est tourné vers la lampe que Rhyme a allumée, je distingue nettement ses traits, les commissures tombantes de sa bouche mince. Ses larges épaules sont un peu voûtées, tout son corps ramassé sur lui-même. Il paraît tourmenté ou triste ou les deux.

Il ne ressemble pas du tout à Awa Djhone et sa peau est plus sombre, mais je suis presque sûre que c'est son fils, Moussa Djhone.

Rhyme et lui parlent longtemps, toujours tournés l'un vers l'autre. On voit l'intimité entre eux.

Quand je rebraque mon téléobjectif vers la tour, les deux hommes du onzième étage ont disparu.

La discussion semble s'assombrir entre les deux jeunes

gens. Juste un instant ils se frôlent. À un moment Mouse, si c'est bien lui, entoure de son bras les épaules de Rhyme.

Il se lève.

Elle reste assise sur le canapé, prostrée.

Je sais que je devrais rappeler tout de suite Moskowitz, lui dire que Moussa Djhone est là, devant mes yeux, chez son alibi. Mais je décide d'aller d'abord voir Rhyme. Tout de suite, alors qu'elle est visiblement sonnée. Par quoi, c'est ce que je veux savoir.

Au moment où je sortais du studio, mon téléphone a sonné : une voix presque inaudible, j'ai cru reconnaître Stern, ça a raccroché. De nouveau je consultai le journal des appels, qui cette fois encore mentionnait : correspondant inconnu.

Je me suis dit que je devenais folle.

Que pour moi aussi il était temps de se tirer d'ici.

Devant l'interphone de l'escalier F, je n'ai pas hésité longtemps. Trois boutons correspondaient au cinquième étage. J'ai choisi «Hasnaoui», le seul qui eût une consonance maghrébine.

Elle a tout de suite déclenché l'ouverture de la porte, sans demander qui c'était. Peut-être croyait-elle que Mouse s'était ravisé.

Elle a juste fait une petite grimace quand elle m'a vue et m'a laissée entrer sans protester.

J'ai attaqué sans détours : je venais de voir Moussa Djhone chez elle. Au cas où elle l'ignorerait, la police le recherchait. L'analyse sanguine des taches de sang sur la chaussure abandonnée de Vito correspondait à l'ADN de Moussa.

– Allez-y, me dit-elle, puisque vous aussi vous espionnez.

– Je n'espionne pas. Sinon je n'aurais pas pris la peine de venir vous voir.

Rhyme a l'air sournois d'un chat sauvage.

— Je n'ai rien à vous dire, siffle-t-elle. Allez-y, appelez-les.

— Et l'homme qui vous espionne dans la tour, vous savez qui c'est?

Elle hausse les épaules.

— C'est mon oncle. Un des frères de ma mère.

— Je les ai vus, ils étaient deux.

— L'autre, c'est l'imam. Il est nouveau ici, il en fait des tonnes.

— Et ils vous surveillent.

Elle secoue violemment la tête. La rage l'emporte sur l'envie de me voir débarrasser le plancher.

— Il m'a déjà flanqué des raclées. S'il m'a vue avec Mouse je vais m'en prendre une autre.

— Vous êtes majeure, vous pouvez vous défendre.

Elle me regarde avec pitié.

— Ah ouais?

Ça lui arrache même un sourire, de me voir si naïve.

— Vous avez un plan? ricane-t-elle.

Oui, pensai-je, j'ai un plan. Fuir. Trouver quelqu'un qui t'aide à foutre le camp d'ici. Quelqu'un comme Vito Stern par exemple. Ça marche, des fois.

Rhyme hausse derechef les épaules.

— Une caissière, ça encaisse.

Avec un petit air de victime peu convaincant. Une caissière, ça peut aussi débiter des salades.

— Écoutez, lui dis-je. On peut jouer à la plus idiote si vous voulez. Mais il va quand même falloir que vous fassiez un petit effort. J'ai lu le journal de Vito. Bon, entre vous, ce n'était pas exactement ce que vous m'avez raconté.

Elle réfléchit un moment. Se balance sur sa chaise. J'ai l'idée absurde que si Stern entrait dans son studio à l'instant même il pourrait nous filmer toutes les deux, son ancienne et sa jeune amoureuse, assises de chaque côté de la table dans la petite cuisine verte.

— Possible, soupire Rhyme.

Sur ce, elle se tait encore et je vois au va-et-vient rapide de ses pupilles qu'elle réfléchit intensément.

— OK, déclare-t-elle finalement, je vous ai menti.

— Bah, fais-je conciliante, qui ne ment pas ?

Mais quand elle se remet à parler, c'est pour changer de sujet. Le lendemain de la nuit où Viteslav a disparu, elle a revu Mouse. Il lui a raconté qu'ils avaient continué à boire au pied de la potence, lui, Job et Vito. En rigolant d'abord, puis ils s'étaient énervés, ils n'étaient pas d'accord sur un truc idiot. Elle n'est pas tout à fait sûre de se rappeler de quoi il s'agissait, quelque chose comme la couleur des maillots d'une équipe de foot, c'est dire si c'était crétin. Mouse et Stern se sont un peu battus comme deux ivrognes peuvent le faire, Job arbitrait le match en tapant avec un bout de bois sur la

Potence. Stern est tombé, il s'est endormi sur place, ivre mort. Ils l'ont laissé là, il était trop lourd et eux trop bourrés.

— Et c'est tout ce qu'il sait, conclut Rhyme. Deux Blacks au chômage dont un qui sort de taule, qui va les croire? C'est pour ça que j'ai dit qu'ils avaient passé la nuit chez moi.

Je fais celle qui réfléchit, mais en vérité j'ai un gros passage à vide. Rhyme n'a pas été avare de révélations, elle m'a dit tout ce qu'elle savait sur Mouse. Mais, confusément, c'est autre chose que j'attendais.

— Vous voulez une bière? me demande-t-elle alors avec un petit sourire très doux, ravissant.

Puis je ne sais plus comment cela s'est enchaîné, mais les rôles se sont, d'une certaine façon, inversés.

Non, vraiment, je ne sais plus comment c'est arrivé. Peut-être m'a-t-elle posé une question, en tout cas je me suis mise à lui déballer toute mon histoire avec Stern depuis le début. La petite ouvrière de Troyes et Vito Stern le séduisant jeune cinéaste, ce moment très spécial qu'ont vécu ceux de ma génération, avoir dix-huit ans et croire qu'on grandit ensemble avec l'histoire. Puis Paris, la photo, la drogue. Je lui ai raconté ce que je n'avais jamais dit à personne, que j'avais volontairement perdu l'enfant qui était dans mon ventre, que j'avais exprès raté une marche tout en haut de l'escalier de pierre de la cinémathèque, que j'avais voulu la chute, le sang. Je ne lui ai pas parlé du film qui m'avait soufflé cette mise en scène parce que de toute façon *Péché mortel* de John Stahl, avec Gene Tierney, ça ne lui aurait rien dit.

Mais je lui ai dit que j'avais agi par impulsion, sur un coup de tête, parce que Vito ne voulait pas de cet enfant et que ce jour-là j'en souffrais trop.

Tout mon récit visait à une chose : laisser entendre que Stern était le maître d'œuvre de ce misérable mélodrame, que sous ses dehors d'artiste généreux se cachait un monstre d'égoïsme qui m'avait sournoisement amenée à tirer toute seule les conclusions de cette funeste erreur qu'était une grossesse. À petit feu et avec une sombre délectation je distillais au profit de Rhyme cette version de l'histoire, un peu surprise tout de même de m'entendre encore si acrimonieuse et avide de vengeance.

Au début elle m'écoutait en hochant la tête, comme si mon récit corroborait ce qu'elle avait entendu ou deviné de moi. Mais peu à peu je vis son expression se modifier, devenir perplexe puis réprobatrice, jusqu'à ce qu'elle finisse par s'exclamer :

— Mais vous délirez complètement !

Et elle me dit ce qu'elle considérait comme la vérité — sa vérité.

Entre Vito et elle il y avait eu, comme vous l'avez déjà

compris, m'avoue-t-elle doucement, bien plus qu'une petite affaire aisément reconvertie en copinage. Ils se voyaient en cachette, ç'aurait été impossible de s'afficher ensemble.

Mais tout le monde était au courant.

Elle aimait bien être avec son vieux. Il était vieux sans doute mais intéressant et il avait... Elle me regarde, rougit et se tait. Parce que, reprend-elle après un moment de silence embarrassé, parce qu'elle commençait à se dire que, cette fois, elle ne laisserait personne lui interdire de faire ce qu'elle voulait – et pourtant les rumeurs qui couraient dans la cité à propos de leur liaison étaient bien plus venimeuses que quand elle était avec Mouse.

Il était question d'un voyage ensemble, Stern avait un ancien projet de film sur les vieux chaabistes d'Alger, elle serait son interprète.

Et puis, vers la fin de l'hiver, il était devenu moins empressé. Il n'était plus question d'Alger, il oubliait de venir à leurs rendez-vous nocturnes ou il arrivait en retard, de mauvaise humeur. Il buvait beaucoup.

– C'est pour ça, me dit-elle, que j'étais si étonnée de voir toutes ces heures où il m'a filmée par la fenêtre.

Je lui dis que les derniers rushes dataient justement du début du mois de mars et elle acquiesce d'un mouvement de tête.

Un soir, quelques semaines avant sa disparition, il l'avait appelée. Pour l'inviter à regarder un film.

C'était un Hitchcock, mais pas *Fenêtre sur cour*.

Sur le moniteur du studio, ils avaient regardé *Vertigo*. Puis Stern lui avait demandé ce qu'elle en pensait et elle, franchement, elle l'avait trouvé pas génial, ce film. Et même plutôt nul, en fait. Qu'est-ce qu'elle avait trouvé nul, eh bien la scène de la fin par exemple, quand le type… Scottie, OK Scottie, quand Scottie jette sa copine du haut de la tour. Ça ressemblait à du théâtre, on voyait que c'était truqué, enfin bref on n'y croyait pas une seconde.

Possible, lui avait répondu Vito. Mais et le tourment de cet homme qui croit retrouver sa Madeleine perdue dans une autre, celle qu'il persuade de se laisser transformer, de faire semblant d'être son amour morte?

— Et alors, ajoute Rhyme, alors il m'a expliqué. S'il était tombé amoureux de moi c'était parce que je lui rappelais une femme, la femme qu'il aimait, telle qu'il l'avait connue trente ans plus tôt. Pour lui j'étais comme la fille du film, la…

— Judy, dis-je.

— Judy. Il venait de comprendre ça. C'était ça qu'il voulait me dire avec ce film.

Regardant par la fenêtre, je remarque pour la première fois la rangée de lampes à sodium fixées sur la façade de l'autre barre au-dessus des fenêtres du septième étage, celui de Stern, et qui la nuit empêchent de voir ce qui se passe derrière elles.

Je me tourne vers Rhyme, nos regards se croisent. Elle sourit, pas méchamment du tout, à peine ironique.

– Quelque chose qui n'est pas comme dans le film, remarque-t-elle, c'est que je n'étais pas du tout au courant que je jouais un rôle.

Je ne sais pas quoi répondre. La signification de ce qu'elle vient de me dire gît quelque part, pas loin, et je n'ai pas envie d'en partager la moindre miette avec qui que ce soit.

– Et puis moi, je suis toujours vivante. Et Stern aussi, conclut-elle avec un sourire qui s'élargit, il a de la chance par rapport à ce pauvre Scottie. Sa vraie Madeleine à lui est encore en vie.

– Vous avez dû lui en vouloir à mort.

Ça la fait glousser.

– Je crois que j'étais surtout vexée.

Et elle ajoute qu'il semblait si coupable en lui faisant cet aveu qu'elle n'avait pas réussi à le détester longtemps.

– Un peu quand même, rectifie-t-elle. Pendant un moment j'avais la rage. Ensuite Mouse est revenu et…

Elle laisse sa phrase en suspens. Sa main s'avance sur la table vers la mienne, qui est en train d'écraser nerveusement un mégot dans le cendrier. Elle me frôle du bout des doigts.

— Alors franchement, me demande-t-elle en levant un sourcil à la manière de Stern, vous trouvez qu'on se ressemble beaucoup?

Je suis rentrée au studio et je me suis assise sur la chaise.

Je me sentais flotter en état d'apesanteur. Je traversais des brumes, des clartés, des lambeaux d'ouate.

J'approchais de cette chose inconnue, ovniesque, que je ne voulais pas distinguer ni reconnaître ni nommer trop vite. Cette sensation effrayante et délicieuse, je voulais la prolonger aussi longtemps que possible.

Pour le restant de mes jours, si possible.

Je me suis servi un whisky et naturellement tout ce que m'avait dit Rhyme une heure plus tôt m'a rattrapée avant que mon verre soit vide.

J'étais la Madeleine de Stern.

C'était un sentiment étrange. Parce qu'il avait disparu, je le retrouvais. Je le retrouvais par la grâce de ce que

m'avait révélé Rhyme, alors que je ne savais pas où il
était ni même s'il était encore vivant. Et je le retrouvais
inconnu, tel qu'il s'était caché d'être toute sa vie, depuis
la prison de Prague. Je me demandai si ce que j'avais
appris sur lui, sur cette faiblesse qui avait été la sienne à
cette époque-là changeait quelque chose, modifiait le
bouleversement de ces retrouvailles *in absentia*.

Et soudain je compris, avec la certitude irrémédiable
qu'impose une catastrophe, que je ne le reverrais jamais.

Qu'il était mort sans doute, qu'en tout cas sa disparition était définitive.

Finalement c'est Vasil qui a gagné, me dis-je avec une
sombre lucidité. Personne n'entendra plus jamais parler
de Vito Stern.

C'était une conviction absolue, une évidence qui cre-
vait les yeux, qui aurait dû me crever les yeux bien avant
que Rhyme m'apprenne que j'étais la Madeleine de
Stern.

Alors une chose étonnante s'est produite. Je me suis
mise à pleurer. J'étais incapable de me rappeler depuis
quand je n'avais pas pleuré, tellement ça faisait longtemps. De mes yeux enfin crevés coulait sans bruit, sans
sanglots, un flot d'eau salée que j'étais incapable d'arrêter.
J'ai cherché quelque chose pour éponger toute cette eau,

une chemise de Vito que je décrochai d'un cintre me servit de mouchoir et d'essuie-tout. C'était une très vieille chemise, comme beaucoup de choses qu'il aimait porter jusqu'au bout. J'ai agrandi le trou d'une boutonnière déchirée, j'ai tiré, une lanière de tissu m'est restée dans les mains.

La bouteille contenait encore pas mal de whisky que j'ai entrepris de transvaser dans mon estomac – à peu près vide, une fois de plus. L'alcool ne m'empêchait pas de pleurer mais au moins j'avais chaud. Très chaud même, au bout d'un moment. Je me suis déshabillée et j'ai revêtu la chemise de Stern en guise de vêtement de nuit. De nuit de deuil.

Ensuite je ne sais plus trop, je me souviens que j'ai entrepris une liste des choses que nous ne ferions jamais plus ensemble : faire l'amour dans le noir en s'enroulant autour des bras et des jambes quelques-uns de ces fils fluorescents qu'on achète dans la rue le 14 juillet, écouter la mer à marée basse, passer une nuit à jouer aux cartes, passer une nuit à regarder des films qu'on aime, s'embrasser sur le Pont-Neuf et oublier qu'il fait froid, avoir mal aux pieds et rentrer se réchauffer, etc. Une litanie de midinette saoule, d'un sentimentalisme ridicule. Mais après tout, me disais-je en griffonnant une autre liste, celle des choses que jamais nous ne ferions ensemble (passer trois semaines dans le transsibérien, pendant toute une journée ne faire, comme dans *Breakfast at Tiffany's*, que des choses qu'on n'a jamais faites), après tout c'est ça ma vie, un misérable roman de gare. De gare de banlieue, pas de celles, Ekaterinenbourg Omsk Novossibirsk Irkoutsk Oulan-Oude Oulan-Bator Harbin, où s'arrête le transsibérien.

Outre qu'elles étaient gondolées et transformées en simulacres de tests perceptifs par mes larmes, les lignes de mes listes de choses plongeaient sur la droite et mélangeaient leurs tentacules.

Et puis encore une fois j'ai entendu la voix de Stern résonner dans ma tête : *you can cry me a river, Rose, si je suis mort ce n'est pas ça qui va me ressusciter.*

Mais je dormais déjà, sans doute. Au Fond des Forêts, les choses importantes se passent la nuit, et souvent en rêve.

L'homme s'approchait très prudemment, étouffant le bruit de ses pas pour ne pas me réveiller. Le studio était plongé dans le noir, je distinguais à peine sa silhouette et pas du tout son visage. Pas à pas il s'est avancé jusqu'au matelas et, arrivé là, s'est accroupi à côté de moi. Je ne pouvais ni bouger ni parler, je ne pouvais appeler personne – d'ailleurs qui aurais-je appelé?

Il s'est assis sur ses talons, se penche vers moi, une mèche de cheveux lui tombe sur l'œil et je reconnais son regard, son beau regard pâle qui n'a pas changé. C'est Stern. Je ressens un grand soulagement, je sais que je suis en train de rêver mais je suis immensément heureuse de le voir. J'essaie de dire quelque chose, en vain bien sûr. Je vois, mais le reste de mon corps est paralysé.

Lui aussi me regarde.

Il tend une main vers mon visage, je sens l'odeur de sa peau et son souffle sur la mienne. Son haleine est lourde, un peu aigre comme celle de quelqu'un qui se nourrit au hasard, qui dort mal.

Et à ce moment-là je comprends que je suis réveillée.

— Alors tu n'es pas mort, dis-je à voix haute, sans aucune difficulté finalement.

Ses épaules sont secouées par un rire silencieux. Il se rapproche un peu plus près, tout près de moi mais sans me toucher.

— Je suis heureux que tu sois là, chuchote-t-il.

Il sent le froid et la nuit. Ses yeux pétillent. Je m'apprête à le serrer contre moi quand quelque chose m'arrête.

Distraitement, je répète :

— Que je sois là ?

Les derniers lambeaux de sommeil et de rêve se dissipent, me révélant telle que je suis aux yeux de Stern, couchée dans son lit et drapée dans sa vieille chemise déchirée.

Les rêves ont cela d'ennuyeux qu'ils n'ont aucun sens de la propriété. Ni du ridicule. Une bouffée de rage et de honte me chauffe le sang — je sens mes joues devenir si brûlantes que même dans l'obscurité elles doivent flamboyer.

Il pose ses mains sur ses genoux, se relève et s'éloigne du côté de la salle de bains. Sa voix lente et grave me raconte. Guy lui a dit que j'étais ici, au Fond des Forêts, et tous mes efforts pour comprendre ce qui lui était arrivé. Et lui, Vito, était venu à pied depuis Paris.

– À pied ?

Pas vu d'autre moyen de transport, me répond-il. Il avait marché longtemps et pendant qu'il marchait il pensait à moi et comme ce serait bien de se retrouver.

– De se retrouver ?

Il s'est trop éloigné pour que je puisse encore distinguer ses traits. Mais je le sens, je l'entends presque sourire de m'entendre répéter en écho la fin de chacune de ses phrases.

Son sourire en coin, tordu.

Le mouvement spontané des lèvres de Stern : asymétrique, une torsion en biais vers le bas d'un coin de la bouche, plutôt le gauche il me semble. Il me semble aussi que c'est son sourcil droit qu'il lève parfois dans une mimique d'interrogation amusée – en tout cas jamais les deux à la fois.

Je me suis levée, j'ai commencé à rassembler mes affaires et à m'habiller en même temps, avec un certain manque de cohésion et d'efficacité. Même si maintenant la luminosité du ciel permettait de voir assez nettement le quadrillage écossais de la barre d'en face, il faisait encore très sombre dans la pièce. Et tout ce à quoi je me cognais en cherchant mes bottes puis en les enlevant pour chercher mes chaussettes dont la gauche restait introuvable, toutes ces choses qui appartiennent à Stern, me disais-je en enfilant déjà la droite, me rappelaient comment j'avais fouillé dans ses vêtements, visionné ses rushes jusqu'à l'écœurement, écouté ses divagations à propos de Rhyme ou du camarade Vasil. J'évitais de regarder dans sa direction. Après un temps encore assez long de tâtonnements et de palpations j'ai renoncé à la chaussette gauche, donc pris le parti d'enlever la droite pour éviter le malaise aggravé d'un pied nu dans une botte alors que l'autre est chaussetté et lorsque, ce exécutant, j'ai fait exploser une pile de livres d'un coup de talon je me suis décidée – d'ailleurs j'étais à peu près vêtue – à allumer la lumière.

Sur le trajet de l'interrupteur j'ai rencontré sa grande carcasse qui me barrait la route.

– Ne pars pas, me dit-il.

J'ai haussé les épaules.

Il est resté silencieux quand je lui ai demandé à quoi ça sert, merde, puisque de toute façon.

Silencieux et immobile.

Alors je me coiffe en vitesse avec mes doigts.

J'allume.

Il a maigri et retrouvé l'allure dégingandée que j'aimais. Et son sourire semble aussi sûr de lui et inépuisable qu'il a toujours été. Mais le reste, dans l'ensemble le reste de sa figure n'est que ruine. Remodelé par une extraordinaire fatigue qui donne un relief macabre aux parties osseuses de son visage. Même ses yeux saillants et un peu bridés de Scandinave ont rétréci. Ils sont rouges, enflammés par une fièvre qui donne un éclat malsain à leurs pupilles pâles.

— Mens-moi, ajoute-t-il en cessant de sourire. Dis-moi quelque chose de gentil.

Si je lui répondais : « Vraiment ? Et qu'est-ce que tu aimerais entendre ? », je pourrais ensuite répéter après lui phrase après phrase trempée dans l'acide ironique — je les connais toutes par cœur. D'autant que l'ampoule qui pend du plafond nous fournit une lumière plombante tout à fait convenable pour ce genre de performance.

C'est un ancien jeu. On y jouait même encore rue de l'Homme au début, on appelait ça jouer à Dr Mabuse. C'était excitant pour l'amour-propre et pour la mémoire, on pouvait discuter sur un mot pendant une heure si on n'avait pas le film sous la main.

Mais maintenant c'est fini, on est trop vieux pour jouer au cinéma.

Je ne lui dis pas que chaque seconde de toutes ces années je l'ai aimé. Je ne lui dis pas qu'en chaque homme que je rencontrais c'était lui que je cherchais. Je ne lui dis pas que s'il n'était pas revenu je serais morte. Je ne lui dis pas non plus que je l'aime encore comme il m'aime.

Toutes ces phrases, je les prononce dans ma tête. Je les préserve de ce jeu stupide.

Sauf une que je peux dire à voix haute :

– Quand un feu a fini de brûler, il ne reste que les cendres.

Stern se redresse. Il y a toujours une certaine prestance dans sa stature – pourtant pendant un court instant il me semble un peu vacillant et même capable de s'écrouler à la verticale, comme un boxeur désossé par le K.O.

Mais son rire triomphant me ramène à la vie.

– Merci, me dit-il. Tu te rappelles son histoire?

Son histoire. Je lui demande si c'est de l'histoire de Johnny Logan, de Johnny Guitare Logan, le Johnny du mélo des mélos, flamboyant en Trucolor by Consolidated, qu'il veut parler.

Non, répond Vito, c'est plutôt Sterling que j'avais en tête. Sterling Hayden, le colosse le plus sexy de Hollywood, qui continuait à se qualifier lui-même de *male starlet* alors qu'il avait déjà donné vie à quelques immortels. Tous fabriqués dans une pâte humaine extraordinairement trouble. Mais je mens. Je prétends que je ne connais pas la vie de Hayden. Ou alors j'ai oublié, dis-je.

Stern, d'une voix plate aux effets grossissants, me décrit la scène où le colosse sexy craque devant la commission d'enquête maccarthyste, avoue ses sympathies communistes datant de la guerre et plus précisément de son engagement comme agent secret en Yougoslavie – il a combattu aux côtés des titistes contre Hitler – avant de dénoncer dans la foulée, pour activités antiaméricaines, son ex-femme et quelques amis. Hayden en a tellement honte qu'il passe les trois années suivantes à sillonner l'Amérique pour expliquer à qui veut l'entendre qu'il est un salaud de lâche et de traître – sans parvenir à s'autoabsoudre malgré le pardon que lui accordent les antimaccarthystes. Il ne risquait pourtant pas grand-chose, ajoute Stern, à part être blacklisté et obligé d'aller chercher du boulot ailleurs qu'à Hollywood.

Alors je lui dis que j'ai trouvé le disque vidéo dans le livre de Chalamov. Je lui avoue que j'ai regardé ce qu'il y avait dessus. Tout. Y compris *Ruzyne*.

Il grimace comme si je venais de plonger la main dans un seau rempli d'excréments.

– C'est bien, dit-il avec un rire bref. Comme ça tu connais mon secret. Mon petit enfer privé à moi.

Je me tourne vers la fenêtre. Je n'arrive pas à bouger, le rectangle de lueur glauque m'aspire, les yeux noyés dans cette substance laiteuse. Dans le silence qui règne maintenant un infime dialogue se noue, inaudible pour nos pragmatiques labyrinthes auriculaires et articulé dans une langue dont j'ignore tout mais qui me semble à la fois subtile et puérile. Stern aussi paraît écouter quelque chose. C'est pourquoi je sursaute quand j'entends sa voix inutilement sonore me proposer, comme une sorte de dernière blague, le récit de ses dernières aventures.

Puisque je m'en vais.

Je hoche la tête. C'est vrai, je m'en vais.

Il a ce geste périmé, le temps de m'attirer près de la fenêtre, de m'entourer les épaules d'un bras, sa main enserrant ma clavicule.

Au début j'ai du mal à fixer mon attention, je comprends la fin d'une phrase quand il est déjà au milieu de la suivante, mais finalement son histoire elle aussi a d'indéniables qualités romanesques.

Le lendemain de cette nuit-là, il s'était retrouvé dans une ville qu'il ne connaissait pas, une ville du Nord aux rues grises où soufflait un vent glacial.

Plus tard il allait reconstituer qu'il s'était réveillé à l'aube transi, la tête en sang, une plaie peu profonde mais encore poisseuse à l'arrière du crâne, et que cette plaie s'était ouverte quand il avait heurté le socle de béton de la Potence, pendant le pseudo-match de boxe avec Mouse. Alors il avait marché au hasard, marché sans s'arrêter avec une idée fixe : s'éloigner de cet endroit. Il avait erré si longtemps qu'au matin il était arrivé dans les parages de la gare du Nord et, épuisé, s'était endormi dans un train arrêté sur une voie de garage.

Mais le premier jour et les jours qui avaient suivi, il ne savait rien de tout ça, il ne savait même pas comment il

était arrivé dans cette ville inconnue. Il ne le savait pas
pour la raison qu'il ne se souvenait de rien. Pas même de
son nom. Il ne savait plus comment il s'appelait.

Ayant découvert une petite liasse de billets dans une
poche arrière de son pantalon, il avait pris une chambre
dans un hôtel sans étoile près de la gare. Dormi longtemps, espérant que le sommeil arrangerait les choses.
À son réveil, il avait d'abord pensé se rendre dans un
hôpital, aller voir un médecin, mais la certitude d'avoir
quelque chose d'urgent à faire et la crainte d'être retenu
contre son gré l'en empêchaient. S'était finalement
contenté d'acheter des chaussettes et les baskets qu'il avait
encore aux pieds maintenant, sous le regard suspicieux
d'une vendeuse qui l'avait prié de bien vouloir mettre
lui-même à la poubelle la loque mi-coton mi-acrylique
qui emballait son pied gauche. Il arpentait la ville, se
demandant s'il aurait dû savoir où aller, espérant finir par
rencontrer quelqu'un qu'il reconnaîtrait ou qui le reconnaîtrait, une rue qui lui serait plus familière qu'une autre.
La ville s'appelait Douai, il lui semblait ne jamais y avoir
mis les pieds avant, mais comment en être sûr? L'argent
qui lui restait, calculait-il, devait lui permettre de tenir
quelques jours en se nourrissant frugalement et en démé-
nageant dans un hôtel encore plus miteux, en bordure
d'une zone industrielle.

– J'étais devenu un homme sans passé, me dit Stern en

se rapprochant un peu de moi – le jour commence à se lever, il faudrait que quelqu'un aille éteindre la lumière pour profiter du spectacle, mais Stern me regarde et je le regarde.

Au cours de ses déambulations lui revenaient des éléments isolés, mots ou images dépourvus de sens, qu'il ressassait pendant des heures et des heures sans résultat. Un jour il se rappela une série de chiffres et que c'était un numéro de téléphone, se précipita dans une cabine et essaya. Il reconnut la voix de Guy sans se rappeler le nom qui allait avec cette voix, ne sut pas quoi dire et raccrocha.

– Je me sentais flotter dans un temps parallèle, me raconte-t-il d'une voix elle aussi flottante. Je marchais et je dormais. Je me raccrochais à des fils qui me tombaient des nues, comme le jour où, passant devant un cinéma, j'ai vu l'affiche de *Nous nous sommes tant aimés* et le nom de Stefania Sandrelli. J'ai pensé que je connaissais une femme qui s'appelait Stefania.

Puis il s'était souvenu d'un autre numéro. Il m'avait appelée (c'était hier, au moment où je sortais du studio pour aller chez Rhyme). Tout lui était revenu en entendant ma voix. Il avait encore une fois raccroché, parce que des épisodes de sa vie affluaient si précipitamment et dans un tel désordre qu'il en avait le souffle coupé.

– Juste après, me dit-il, je me suis rappelé le moment

qui a précédé mon départ de Prague, en 68. J'ai dû admettre que c'était moi qui avais fait ça.

Stern sourit avec une humilité qui attendrirait un croûton rassis. En marchant pour venir ici, répète-t-il, je me disais que celle avec qui je devais parler d'abord, c'était toi.

À cet instant, une fenêtre puis une autre s'allument cinq étages plus bas de la barre d'en face et je vois que Stern lui aussi l'a perçu du coin de l'œil. C'est une chose que nous avons en commun, une vision périphérique assez performante, et c'était d'ailleurs un autre jeu, quand on jouait. Deviner ce que l'un fabriquait derrière l'épaule de l'autre.

Je suis plus rapide que lui.

— Tiens, dis-je assez sottement, ta caissière préférée est debout.

Il rit, un peu décontenancé tout de même. Sourit bravement quand je lui raconte comment, s'il était rentré chez lui quelques heures plus tôt, il aurait pu nous voir, Rhyme et moi, attablées et parlant de lui dans la petite cuisine verte.

Après s'être rappelé sa lâcheté à Ruzyne il avait senti le rouge de la honte lui envahir le front, et cette sensation familière avait fait défiler dans sa mémoire une série de scènes où il se trouvait toujours dans la situation de devoir s'éloigner, s'en aller. (Je ne me souvenais pas d'avoir jamais vu son front rougir. C'est parce que je partais avant, me répliqua-t-il.) Mais ensuite il avait compris que cette renaissance lui offrait une chance de «vivre une deuxième fois la bataille», comme disait Pedro Damian.

Qui était Pedro Damian? me répondit Stern. Un gaucho, un taciturne tondeur de moutons dans une nouvelle de Borges, *L'Autre Mort*. Tout jeune homme, en 1904, il s'est comporté en lâche pendant la terrible bataille de Masoller et, le reste de sa vie, aspire à effacer cette honteuse faiblesse. Et Dieu lui donne pendant son agonie la possibilité de revivre cette bataille et d'y mourir dignement. Bien sûr il n'efface pas ce que Damian a fait, spécifia Stern. Mais les deux batailles de Masoller coexistent dans des temps parallèles. Celle où le jeune Pedro se planqua comme un couard et celle où il se battit courageusement.

– Crois-tu, me demanda Stern avec un sourire d'autodérision, crois-tu que la chance de retourner à Ruzyne me sera donnée?

Je ne lui dis pas qu'une faute de jeunesse n'est pas forcément irrémédiable, que la faute du jeune traître tchèque était peut-être pardonnable – pas tant parce que je n'en savais rien que parce que je savais qu'il ne voulait pas être consolé.

Tout ce que je pouvais lui répondre, c'était que sa

disparition nous avait permis, comme l'agonie à Pedro Damian, de revivre une autre bataille.

Et que cependant, lui comme moi, nous étions encore vivants.

J'étais épuisée, allongée contre Stern sur le petit matelas, lui appuyé sur un coude dans mon dos, presque dans la position des époux étrusques sur leur sarcophage, à cette différence près qu'une des jambes de Vito enlaçait les miennes, et je ne m'étais pas sentie si bien depuis – depuis jamais peut-être.

Je lui dis la vérité pour ma chute dans l'escalier au palais de Chaillot, comment en un éclair j'avais prémédité et mis en scène mon avortement cinématographique, comment je m'étais jetée non seulement du haut de l'escalier du palais de Chaillot mais aussi de celui qu'utilise Gene Tierney aux mêmes fins dans *Péché mortel* et encore de celui ô combien mis à toutes les sauces du *Cuirassé*, les trois escaliers confondus dans mon esprit malade espérant quoi, rien, du moins c'était à souhaiter car si j'attendais quoi que ce soit de cet acte morbide je me situais, dans l'ordre des passions tristes, tout en haut des marches, si je peux dire.

Il resta longtemps silencieux, puis déclara qu'il ne pouvait pas faire autrement.

Je m'interrogeai un moment sur cette curieuse inversion des rôles, mais je n'étais plus à un paradoxe près et ma fatigue était telle que progressivement je glissai dans un demi-sommeil. J'en fus tirée par une désagréable sensation de froid – Vito avait retiré sa jambe qui l'instant d'avant pesait si naturellement sur les miennes. Je l'entendis me dire qu'il devait partir.

Cette fois je me réveillai vraiment.

Et cette fois je savais ce qu'il allait faire.

Cinq mois plus tard Rose m'invita à la galerie Guy
Moth, pour le vernissage d'une exposition intitulée
« Troyes 1974-2007 ». Il y avait beaucoup de monde près
de l'entrée et je me réfugiai dans la salle du fond. La plupart des photos noir et blanc qui y étaient accrochées
avaient été prises lors de la grève chez Pantex, dans les
ateliers occupés ou devant la grille de l'usine. Quelques-
unes étaient de Vito Stern, d'autres de Guy Moth lui-
même, et les autres noms indiqués sur les cartels m'étaient
inconnus. Je repérai immédiatement Didi, casquette
noire à visière brillante et traits d'eyeliner en aile d'hirondelle, juchée sur une caisse devant quelques dizaines
de femmes de tous âges parmi lesquelles Rose, elle aussi
très reconnaissable en adolescente montée en graine,
silhouette quasi anorexique, joues rondes, long nez compliqué.
Les clichés de la deuxième série, pris par Rose durant

l'été dernier, étaient tous en couleurs et se mêlaient aux anciens noir et blanc selon une logique qui ne m'apparut pas au premier abord. La plupart de ces clichés récents étaient des portraits, de gens d'âge mûr seuls ou entourés de proches, dans le genre d'intérieurs qu'il est convenu d'appeler «modestes», des cuisines ou des salons aux proportions exiguës. Je cherchai Didi aujourd'hui, la trouvai, opulente et rieuse, sans casquette ni eyeliner mais les cheveux d'un auburn éclatant, assise dans un fauteuil recouvert de tapisserie à motifs de grosses pivoines roses et rouges sur lesquelles tranchait sa robe vert émeraude.

Un peu plus loin je m'arrêtai devant la photo d'un couple âgé assis côte à côte sur un lit, le bras de l'homme posé sur les épaules de la femme. Tous les deux regardaient droit dans l'objectif sans sourire, leurs yeux noirs luisant du même velouté doux et grave. Leurs visages aux rides profondes étaient polis par une lumière dorée et sertis dans l'épaisseur de leurs chevelures grises, sur fond de papier peint à fines rayures orange et beiges. Je reconnus chez l'homme les épais sourcils noirs et le nez de Rose. Le cartel accolé à la photo mentionnait cette légende : «Mes parents, août 2007».

Toutes les photos de la deuxième série baignaient dans cette lumière de soleil couchant qui dramatisait les ombres et donnait même aux verts et aux bleus les plus denses une nuance chaude et veloutée. Je pensai à ce qu'avait écrit Rose sur le cibachrome et sur les couleurs de Mark Rothko. Trucolor by Consolidated, c'était le nom du procédé utilisé par Nicholas Ray pour *Johnny Guitare*. Les photos de Rose avaient la flamboyance des grands mélos.

Quand j'eus un peu dominé l'appréhension qui me saisit toujours au contact de cette sorte de petite foule mondaine, je retournai dans la première salle, solidement accrochée à mon verre. Je faillis me cogner dans Rose qui parlait avec un homme rond et affable, caressant sa courte barbe poivre et sel, en qui je reconnus Gérald Bornaux, l'éditeur. Ils m'informèrent que le récit de Rose sortirait la semaine suivante, ce que je ne savais pas, et s'appellerait en définitive *Revivre la bataille*, ce qui ne fut pas une grande surprise puisque je l'avais moi-même suggéré à Rose.

Ça marche avec tout ça, me dit Rose en décrivant du bras un grand mouvement circulaire en direction des photos accrochées dans la galerie. Voir le film de Stern sur sa jeunesse pragoise, l'entendre raconter son amnésie lui avait fait découvrir qu'elle aussi l'était plus ou moins – amnésique et traître – sans vouloir y penser. Au fond elle savait très bien qu'elle avait effacé de sa vie tout ce qui précédait son arrivée à Paris et elle était allée à Troyes pour ça, pour revoir ses parents, les gens qu'elle connaissait à l'époque. Je n'ai pas retrouvé tant que ça de souvenirs mais je les ai retrouvés, eux, dit-elle avec un autre large geste de la main qui tenait son verre heureusement vide.

Rose souriait, rayonnant du même éclat que les portraits qui, exposés derrière elle, nous regardaient.

Me rappelant alors un détail qui m'avait frappée, je l'interrogeai sur l'ombre presque identique que l'on repérait sur deux des photos en couleurs – l'ombre d'une tête de profil, avec une mèche de cheveux retombant sur le front: était-ce bien celle de Vito Stern?

Elle rit de son rire contagieux, eh bien toi on peut dire que tu as l'œil américain. Avant de partir pour la Tchéquie, Stern était passé la voir à Troyes.

En prononçant ces mots, Rose ne put s'empêcher de légèrement rosir.

Exactement, remarquai-je, cette carnation émue des joues de Rose, exactement la lumière d'un corps. Et là sur le seuil de la galerie, soirée tiède de fin septembre, elle me dit que Stern, en ce moment même, était peut-être encore quelque part du côté de Prague.